Mały biały samochód

Danuta

de Rhodes

Mały biały samochód

Przełożył

Michał Juszkiewicz

Prószyński i S-ka

Tytuł oryginału
THE LITTLE WHITE CAR

Projekt okładki
Mirosława Adamczyk

Redakcja
Magda Koziej

Redakcja techniczna
Małgorzata Kozub

Korekta
Grażyna Nawrocka

Łamanie
Ewa Wójcik

ISBN 83-7337-960-6

Wydawca
Prószyński i S-ka SA
02-651 Warszawa, ul. Garażowa 7

Druk i oprawa
Drukarnia Wydawnicza
im. W. L. Anczyca S.A.
ul. Wrocławska 53, 30-011 Kraków

Podziękowania

Ogromne podziękowania dla La Ginge, Léonie „Smot" Tancred oraz Stana Stantona za ich nieocenione słowa krytyki, dla Christel Manbique, mojej gospodyni w dezabilu, dla Tamy Janowitza, jego familii i jego fretek za zimną zupę z puszki, dla „Drivetime" Jamesa Mansbridge'a, Giny Garan, Colina McLeara, Nguyen Thi Quynh Thanh, Petera Finlaya, Blythe, oczytanej hostessy Jenity Colganovej, dla Jamiego Bynga i całej ekipy z wydawnictwa Canongate – za wszystko (a wszystko było prima sort), dla moich wydawców z całego świata, dla wszystkich, którzy namawiali mnie, żeby ciągnąć to dalej, dla Mae Emmily Magtalas, dla całej rodzinki de Rhodes i dla moich przyjaciół, tych u góry i tych na dole – Danuta kocha was wszystkich.

CZĘŚĆ PIERWSZA

Rozdział pierwszy

Po pierwsze, Awangardowy Sofijski Oktet Tarzystów wcale nie był oktetem. Zespół ten liczył ni mniej, ni więcej jak czternaście osób. Po drugie zaś, ani jeden muzyk z tej czternastki nie grał na tarze. W składzie byli dwaj perkusiści – jeden grał na bębnach miotełkami, a drugi grzbietami dłoni – leworęczny flecista, klarnecistka, która, choć posiadała klasyczne wykształcenie muzyczne, używała do gry tylko trzech palców, wibrafonista od czasu do czasu podgrywający na pile, a do tego rozmaitość innych ludzi obsługujących przeróżne instrumenty, narzędzia, przyrządy, dalekopisy i sprzęt AGD; brakło wśród nich tylko właśnie tary do prania. Trzeba jednak przyznać, że Awangardowy Sofijski Oktet Tarzystów istotnie reprezentował muzyczną awangardę. No i rzeczywiście pochodził z Sofii, to znaczy, tam mieszkali wszyscy muzycy, bo prawdę mówiąc, dwie dziewczyny ze składu, jednojajowe bliźniaczki, urodziły się w Bukareszcie, ich koleżanka w Berlinie, a reszta zespołu w różnych miastach rozsianych po całej Bułgarii. Niemniej cała czternastka przyznawała się do sofijskiego pochodzenia; tam też na początku lat dziewięćdziesiątych powstał zespół, który przetrwał do tej pory w niezmienionym składzie.

Jean-Pierre cierpliwie tłumaczył te zawiłości swojej dziewczynie Veronique, wyjmując z pudełka i wkładając do odtwarzacza trzecią płytę Bułgarów, noszącą tytuł „Od fal dźwiękowych do dźwięku". Odtwarzacz płyt kompaktowych był jednym z segmentów jego niedużej i bardzo drogiej wieży stereo.

– Aha – powiedziała Veronique, pociągając długi łyk białego wina.

– Trudno to w ogóle nazwać piosenkami – dodał Jean-Pierre. – Bardziej pasuje tu określenie „pejzaż dźwiękowy".

– O – skomentowała Veronique, przełknąwszy jeszcze trochę wina.

– Posłuchaj. – Jean-Pierre dotknął przycisku „Play" na pilocie i rozciągnął się jak długi na podłodze, z głową opartą o siedzenie fotela.

Muzycy Awangardowego Sofijskiego Oktetu Tarzystów celowo pozostawili na początku pierwszego nagrania dwie minuty i piętnaście sekund ciszy, chcąc widocznie zmusić słuchacza do zastanowienia się, czy przypadkiem nie umykają mu właśnie jakieś nadzwyczajne, chociaż niesłyszalne, dźwiękowe wrażenia. Podczas trwania tej ciszy Veronique wzięła do ręki kosmyk swoich włosów, rozdzieliła go na trzy i zaczęła zaplatać warkoczyk. Był to nawyk, który pozostał jej jeszcze z czasów, kiedy nosiła długie włosy; jej obecna fryzura raczej nie pozwalała na imponujące sploty.

– Tego się słucha w skupieniu – zaznaczył z naciskiem Jean-Pierre.

Veronique nie odpowiedziała ani słowa, ale przestała pleść warkoczyk i opuściła ręce. Ten nawyk nie był aż tak silny, żeby się o niego kłócić. Zamiast tego wytężyła słuch, usiłując skupić się na ciszy, i tak doczekała pierwszych dźwięków. Kiedy już zaczęło grać, jej uwaga podzieliła się na trzy: Veronique słuchała nagrania jednym uchem, jednocześnie myśląc o czymś kompletnie niezwiązanym, a oprócz tego bezmyślnie rozglądała się po pokoju. Od ośmiu miesięcy regularnie spotykała się z Jeanem-Pierre'em w jego mieszkaniu i znała już na pamięć te niemal całkiem nagie ściany, oświetlone przyćmionym blaskiem starannie rozlokowanych lamp i świec, tę podłogę i te drzwi.

Siedziała w najdalszym rogu kanapy, żeby nie zawadzać o wyciągnięte nogi Jeana-Pierre'a. Zauważyła, że jej mężczyzna ma na nogach swoje stare skórzane buty. Po co mu one – tego trudno się było domyślić. Veronique nie zwróciła na to specjalnej uwagi, lecz była prawie stuprocentowo pewna, że Jean-Pierre nie poszedł dziś z nią do łóżka w butach. Na wieczór nie mieli też w planach żadnego wyjścia, jak zwykle zresztą. W takim razie po co je założył? Nie mogła zgadnąć. Jean-Pierre miał talent do robienia bezsensownych, denerwujących rzeczy. Dodatkowo dostrzegła wystające z cholewek grube wełniane skarpety, a przecież był dopiero przedostatni dzień sierpnia. Nie było aż tak zimno, żeby koniecznie siedzieć w turystycznych skarpetach.

Jak zwykle, Jean-Pierre jeszcze przed przyjściem Veronique skręcił sześć grubych jointów. Kiedy przyszła, czekały już, leżąc rządkiem na talerzyku. Do tej pory zdążył wypalić trzy. Za każdym razem proponował jej, żeby wzięła chociaż macha, i trzykrotnie Veronique odmówiła. Teraz sięgnął po czwartego; zaciągnąwszy się, miał zwyczaj powoli kołysać głową na boki, a dym wydmuchiwał z taką miną, że mało kto potrafił znieść ten widok. Kosztowało go to już kilku dobrych znajomych, a ludzie, którzy nie zdążyli jeszcze wyrobić sobie o nim opinii, odwracali się od niego, widząc te zamknięte oczy, twarz wyrażającą monstrualnie przesadzoną obojętność i dym wylewający się niespiesznie z idealnie okrągłego otworu w prawym kąciku ust, zawisły w powietrzu niczym serafin. „Zakochany w sobie", mówili o nim ci, którzy widzieli tę scenkę w jego wykonaniu. „Widzieliście go, jak przypala?" – to pytanie obiło się nieraz o uszy Veronique.

Dolała wina do swojego kieliszka, a Jean-Pierre ponownie spytał, czy nie zapali. Veronique obiecała dziś sobie, że ten jeden raz nie uwali się u niego i nawet całkiem nieźle jej szło, ale ta płyta, te fale dźwiękowe awangardowych tarzystów sofijskich, w niepojęty sposób zmuszała do odurzenia się czymś. Veronique poczuła, że nie ma właściwie innego wyjścia. Wyciągnęła rękę po skręta, sztachnęła się kilka razy i oddała go Jeanowi-Pierre'owi.

Pierwszy utwór dobiegł końca. Trwał osiemnaście minut. W takim momencie Jean-Pierre miał zwyczaj pauzować nagranie i wygłaszać krótki referat na temat wysłuchanej kompozycji. Ale tym razem, zamiast zabrać się do roboty, leżał ze wzrokiem wbitym w sufit, a płyta grała dalej. Po chwili Jean-Pierre zamrugał oczami, bardzo powoli.

Odłożony do popielniczki joint zgasł. Veronique zapaliła go z powrotem, zaciągnęła się jeszcze kilka razy, po czym oddała Jeanowi-Pierre'owi, a sama zajęła się swoim winem. Drugi utwór był, zdawało się, dokładnie taki sam jak pierwszy. Jedyna różnica polegała na tym, że skończył się o wiele szybciej. Po niecałej minucie. Jean-Pierre wziął do ręki pilota, wycelował w stronę wieży i zatrzymał płytę.

– Muszę ich tutaj ściągnąć – oznajmił.

Veronique pomyślała sobie, że już nie pierwszy raz słyszy od niego taką gadkę. Jean-Pierre lubił rozwodzić się nad swoimi wspaniałymi planami; stale nosił się z zamiarem zorganizowania serii awangardowych koncertów w jakichś niezwykle pokazowych miejscach. W jego snach publiczność waliła drzwiami i oknami, a wychodziła zachwycona. Recenzje jedna w drugą były entuzjastyczne, same zaś koncerty z dnia na dzień zyskiwały taki rozgłos, że biletów brakło już na całe tygodnie naprzód. Te koncerty miały przynieść Jeanowi-Pierre'owi fortunę i uczynić go guru w sprawach muzyki, tej muzyki, którą tak uwielbiał. Dzięki organizowanym przez siebie wydarzeniom miał zostać tym, kim zawsze chciał być: jaśniejącą gwiazdą kręgów artystycznej bohemy. Jego nazwisko miało zasłynąć w Paryżu i na całym świecie, zyskując sobie szacunek muzyków, których podziwiał, i docierając do uszu tych ludzi, na których zależało mu najbardziej.

Na początku znajomości Veronique naprawdę myślała, że Jean-Pierre ma wszystko, czego potrzeba, aby w krótkim czasie stać się znaną osobistością. Jednak miesiąc upływał za miesiącem, nie przynosząc absolutnie nic, i dziewczyna zrozumiała, że ten człowiek nigdy nawet nie spróbuje zrealizować którejkolwiek z tych rzeczy, o których z takim przejęciem rozprawia: nie zorganizuje żadnego koncertu, nie założy też wytwórni płytowej ani własnego zespołu. Tak samo teraz wiedziała już z góry, że co najmniej miesiąc albo dwa będzie się zabierał, żeby zadzwonić do któregoś ze znajomych zorientowanych w zawiłej procedurze sprowadzenia czternastu awangardowych muzyków z Sofii do Paryża. Kiedy zaś dotrze do niego, że sprawa jest z rodzaju tych, które się ciągną i wymagają wypełniania całych stosów różnych papierów, to do kogo zwróci się o pomoc? Do niej. Ona mu odmówi, tłumacząc, że przecież i bez tego ma dość na głowie, a poza tym papiery to nic takiego, żadna czarna magia. A wtedy jemu przejdzie cały zapał i porzuci projekt, natomiast za główną, jeśli nie jedyną przyczynę fiaska uzna brak wsparcia z jej strony.

– I co ty na to? – zapytał Jean-Pierre.

Veronique wykrzywiła usta i wzruszyła ramionami.

Jean-Pierre ponownie dotknął przycisku „Pause" i zaczął się utwór numer trzy. Veronique dopiła wino do końca i jeszcze raz napełniła kieliszek. Ziewnęła. W butelce, drugiej tego wieczoru, było już widać dno, a Jean-Pierre wypił do tej pory nie więcej niż półtora kieliszka. Veronique nie miała zamiaru wydoić aż tyle, ale w sumie nie było nic innego do roboty. Czuła, że powieki zaczynają jej ciążyć. Jean-Pierre rozdusił resztkę skręta w popielniczce i wyciągnął się na podłodze, zamknąwszy oczy.

Chwilę później Veronique wyłowiła z całej tej powodzi dźwięków coś znajomego. Nie potrafiła określić, co to takiego. Wrażenie zresztą wkrótce minęło, więc nie zaprzątała sobie tym dłużej głowy, lecz powróciła do kieliszka z winem i przyglądania się ścianie. Muzyka płynęła dalej, wciąż niezhańbiona harmonią ani formą. Nagle znów to samo: gdzieś w mrocznych czeluściach utworu numer trzy brzmiała znana jej dobrze melodia.

Zanuciła ją sobie w pamięci. Kilka taktów dalej melodia powróciła.

– Tak. – Veronique ożywiła się nagle. Triumfalnym gestem uniosła kieliszek dla uczczenia swojego odkrycia. – To jest to.

Jean-Pierre rzucił jej spojrzenie, w którym nie było ani cienia uśmiechu. Pochyliwszy się, sięgnął po piątego skręta. Zapalił go i opadł z powrotem na podłogę, ponownie zamykając oczy.

– Słuchaj – powiedziała Veronique.

Znajome nuty powróciły dopiero po jakimś czasie. Veronique wyśpiewała je razem z nagraniem.

Jean-Pierre spojrzał na nią z niesmakiem.

– Mówię ci, naprawdę. – W jej głosie brzmiało zdecydowanie. – Poczekaj...

Melodia zlała się z powrotem z monotonnym tłem pejzażu dźwiękowego, ale w końcu ponownie się wybiła. I tym razem Veronique odśpiewała ją razem z płytą.

– Nie słyszysz tego?

– Nie – pokręcił głową Jean-Pierre. – W ogóle nie wiem, o co ci chodzi.

Kłamał. Właśnie w tej chwili ze zgrozą uświadomił sobie, że w trzecim utworze z płyty „Od fal dźwiękowych do dźwięku" Awangardowego Sofijskiego Oktetu Tarzystów słychać melodię refrenu piosenki „Joe Le Taxi", znanej przed laty z wykonania Vanessy Paradis, i że melodia ta jest wstawiona w dźwiękową układankę w charakterze powracającej zagrywki. Grano ją wolniej niż w oryginale i do tego najprawdopodobniej na puzonie, ale nuty były dokładnie te same co w refrenie tamtej piosenki.

– Pleciesz coś bez pojęcia – zawyrokował Jean-Pierre, drżąc na samą myśl o takiej możliwości. Miał tylko nadzieję, że to wszystko wyszło zupełnie przypadkowo i że muzycy oktetu, zapytani o najważniejsze inspiracje, nie zechcą wymienić wczesnej twórczości Vanessy Paradis jednym tchem z takimi nazwiskami jak Karlheinz Stockhausen, John Coltrane czy Holger Czukay. Zaczął się zastanawiać, czy zaproszenie ich na koncert do Paryża to aby taki dobry pomysł, jak mu się dotąd wydawało.

Melodia zabrzmiała ponownie. Veronique zerwała się na równe nogi, wskoczyła w buty i zaczęła śpiewać w takt melodii, tańcząc przy tym tak jak Vanessa Paradis na teledysku do tej piosenki.

– Coś ci się wydaje – rzucił Jean-Pierre.

Veronique tańczyła dalej.

– Lepiej się uspokój – dodał.

– Mowy nie ma.

– Nie masz za grosz słuchu.

Veronique kompletnie zapomniała o „Joe Le Taxi", a tu nagle proszę! Okazało się, że wciąż uwielbia tę piosenkę. Nie każdemu przyznałaby się, że za nią przepada, ale tak właśnie było. Od zawsze. Dzięki niej powracały wspomnienia czasów pełnych dobrej zabawy.

– Nie masz pojęcia o muzyce – oznajmił Jean-Pierre. – Nigdy w życiu nie zagrałaś ani jednej nuty. Nie masz w domu ani jednej wartościowej płyty, tylko sam szajs. I w ogóle nie potrafisz docenić, ile jest warta muzyczna edukacja, którą ci zapewniam. Nie masz za grosz zrozumienia.

Veronique puściła jego tyradę mimo uszu.

– Mówili, że jestem podobna do Vanessy Paradis – powiedziała.

– Pieprzysz. – Jean-Pierre podniósł się z podłogi i usiadł prosto. – Co za kupa posranych bredni.

– Uważasz, że jestem brzydsza od niej? – Melodia znów powróciła i znów Veronique odśpiewała ją razem z płytą.

– Masz zupełnie inny kształt głowy.

– Ale na plus czy na minus?

– Jak to: na plus czy na minus?

– Bo jeżeli uważasz, że mam niewłaściwy kształt głowy, to mogłeś powiedzieć mi o tym i to już dawno temu. Poprawiłabym go dla ciebie.

– Nie uważam, że masz niewłaściwy kształt głowy. Mówię tylko, że twoja głowa wygląda inaczej niż głowa Vanessy Paradis. Jak ci zapewne wiadomo, Vanessa Paradis ma bardzo charakterystyczną głowę.

– A ty wolisz jej głowę od mojej. No tak.

– Nie zamierzam się z tobą wykłócać o to, czyją głowę wolę. Faktem natomiast jest, że w niczym nie przypominasz Vanessy Paradis.

– A właśnie, że kiedyś wszyscy mówili, że jestem do niej podobna. Kiedy wyszła ta piosenka...

– To nie jest „Joe Le Taxi", do nagłej cholery – zdenerwował się Jean-Pierre. – To jest trzeci utwór z płyty „Od fal dźwiękowych do dźwięku" nagranej przez Awangardowy Sofijski Oktet Tarzystów. Ten utwór nie posiada tytułu. Tytuł jest mu w ogóle zbędny.

– Niech ci będzie. Kiedy wyszło „Joe Le Taxi", miałam... – Veronique spojrzała zezem na sufit, marszcząc brwi, co miało wyrażać skupienie. – Niech pomyślę... Kiedy zaczęli puszczać tę piosenkę?

– Pytaj się mnie, a ja ciebie. Mam w dupie, kiedy zaczęli to puszczać.

Veronique zastanowiła się jeszcze przez chwilę.

– Teraz mam dwadzieścia dwa lata – powiedziała wreszcie. – Mamy rok 1997. Czyli to było chyba gdzieś tak około osiemdziesiątego siódmego, kiedy miałam dwanaście lat, bo wtedy umarła moja babcia i wyjechałam do Lille, do mojej kuzynki Valerie, ona jest w moim wieku, no, właściwie to sześć tygodni młodsza, i obejrzałyśmy ten teledysk tysiąc razy i nauczyłyśmy się tańczyć jak Vanessa. Patrz. – Zrobiła kilka kroków bokiem, powoli, z wypracowaną bezwładnością. – A kiedy ciocia chciała nam poprawić humor i zapytała, gdzie byśmy chciały pojechać, poprosiłyśmy, żeby zabrała nas na zakupy, i wybrałyśmy sobie takie same ciuchy, jak miała Vanessa w telewizji. To znaczy, niezupełnie takie... – Veronique przekrzywiła głowę, przygryzając wargę i unosząc prawą dłoń z wyprostowanym palcem wskazującym. – Uwaga...

Znów wyśpiewała melodyjkę, tańcząc w jej takt. Jean-Pierre wbił wzrok w podłogę i potrząsnął głową. Kiedy melodia zatarła się z powrotem w bezkształtnym pejzażu dźwiękowym, Veronique umilkła, lecz nie przestała tańczyć. Dalej drobiła, kołysząc się z boku na bok, jak gdyby słyszała w tym zlepku dźwięków choćby szczątkowy rytm, którego można było się trzymać.

– Nasze ciuchy nie były dokładnie takie same jak w klipie Vanessy, ale w Lille i tak nie dostałybyśmy niczego lepszego. I jeszcze na dokładkę ciocia nie chciała kupić nam nowych butów, więc musiałyśmy tańczyć w starych i byłyśmy o to wściekłe jak nie wiem co. To właśnie wtedy ludzie zaczęli mówić, że wyglądam jak Vanessa, chociaż wcale nie miałam identycznych ciuchów, a moje włosy są ciemnobrązowe, prawie czarne, no i mam zupełnie nie taki kształt głowy. Ale mimo to często słyszałam, że jestem do niej podobna.

– Niesłusznie – szepnął Jean-Pierre, trzymając głowę w dłoniach.

– Ale przyjrzyj się, jakie mam oczy. Nie widzisz, że coś w nich jest? Przynajmniej kolor. A spójrz na to. – Veronique wywinęła górną wargę, pokazując coś palcem. – Mam przerwę pomiędzy jedynkami. Wiem, że ona ma większą, ale przerwa to przerwa, a włosy miałam wtedy dotąd – przejechała palcem po lewym ramieniu, kilka centymetrów powyżej łokcia – nie takie krótkie jak teraz. I nauczyłam się tego... – Veronique złożyła lekko usta jak do pocałunku. – Cały czas tak chodziłam. Chciałam być taka jak ona. Marzyłam o tym. Oddałabym wszystko, żeby być Vanessą.

Utwór numer trzy dobiegł końca. Po krótkiej przerwie zaczął się utwór numer cztery.

Veronique usiadła. Teraz, kiedy muzyka brzmiała jak skrzypienie zardzewiałych drzwi starego samochodu, puszczone w zwolnionym tempie, poczuła się znów senna, a do tego nieszczęśliwa. Zapragnęła mieć przy sobie kogoś, kogo mogłaby się poradzić, czy zapuszczać jeszcze raz włosy, czy nie, kogoś, komu mogłaby opowiedzieć, że tamci ludzie, którzy mówili jej, że jest podobna do Vanessy Paradis, to byli przeważnie faceci w średnim wieku, dla których wszystkie młodzieżowe piosenkarki wyglądają tak samo. Dwunastoletnia Veronique nie mogła podejrzewać, co tak naprawdę kryje się za tymi komplementami, o czym myśleli tamci mężczyźni, porównując ją do Vanessy Paradis. Ale Jean-Pierre za nic w świecie nie dałby się namówić na taką rozmowę. Zawsze wolał dyskutować na temat „harmoniki” i „kadencji”, cokolwiek by to było. Wzięła skręta, którego jej podał, ale nie poczuła się po nim lepiej. Spojrzała na Jeana-Pierre'a, przyglądając się jego sięgającym ramion ciemnobrązowym włosom. Wyglądały zapewne tak samo jak zawsze, ale naraz wydały jej się zupełnie bez życia, nijakie i do bólu opatrzone. Drażniło ją dodatkowo to, jak Jean-Pierre kiwał głową do kulawego rytmu tej głupiej muzyki.

– A wiesz, że Jezus w twoim wieku już nie żył? – zapytała.

Upiekła mu tort na ostatnie urodziny, z trzydziestoma czterema świeczkami ułożonymi w cyfry 3 i 4.

– A co cię nagle zaczął obchodzić Jezus?

Veronique sięgnęła po kieliszek z winem. Pociągnęła jeszcze jeden łyk, ale nic to nie pomogło. Jean-Pierre nie odmłodniał, a ona nie zrobiła się bardziej podobna do Vanessy Paradis. Ani mniej. Przemknęło jej przez głowę, żeby usiąść mu na kolanach i zasypać twarz pocałunkami pachnącymi wypalonym zielem. Pomyślała o dotyku jego rąk wsuwających się pod jej sukienkę i na tę myśl poczuła powiew nudy, jakby wszystko już było, odbyło się i przeżyło. Wstała.

– Idę już – oznajmiła.

Jean-Pierre podniósł na nią wzrok.

– Mogę to sobie wziąć? – zapytała, wskazując ostatniego skręta. Jean-Pierre podał go jej, a ona schowała go do torebki. – Dziękuję – powiedziała.

– Naprawdę już idziesz? – zapytał. To był pierwszy raz, kiedy Veronique zbierała się do wyjścia w nocy, a nie rano.

Zamiast mu odpowiedzieć, narzuciła na siebie kurtkę z brązowego zamszu. Sprawiła ją sobie w zeszłym tygodniu, a on nie skomentował tego zakupu ani słowem, jakby to był jakiś stary ciuch, który nosiła od zawsze, a nie nowa, modna rzecz, do tego tak naprawdę o wiele za droga jak na jej zarobki.

– Zadzwonię jutro – zapowiedział Jean-Pierre.

– Nie. Nie dzwoń jutro. W ogóle już do mnie nie dzwoń. – Już od jakiegoś czasu nosiła się z zamiarem powiedzenia mu czegoś w tym rodzaju. Tych kilka słów zabrzmiało bardzo zgrabnie.

Jean-Pierre nie odpowiedział nic.

Veronique zawołała na Césara. Jej bernardyn, drzemiący na dużej poduszce ułożonej w kącie pokoju, podszedł do swojej pani, a ona przypięła mu smycz. Obejrzała się na Jeana-Pierre'a.

Zaskoczyło ją to, jak strasznie smutno wyglądał. Kusiło ją, żeby wyjąć z torby aparat i zrobić mu zdjęcie, jak leży na podłodze – dałaby mu tytuł „Mężczyzna zraniony" albo coś w tym stylu. Porzuciła jednak ten pomysł. To byłoby niełądne zagranie, a poza tym czuła, że w jej obecnym stanie kosztowałoby to ją po prostu za dużo wysiłku.

– Chodź, César. – Pociągnęła psa w stronę drzwi. Muzyka, o ile można było to tak nazwać, płynęła bez przerwy, równie monotonnie jak przedtem. Jean-Pierre leżał, wbijając wzrok w drewnianą podłogę. A może w dywanik. Veronique nie mogła dostrzec, na co patrzył.

Rozdział drugi

Veronique otworzyła drzwi samochodu zaparkowanego przy krawężniku. César wskoczył na złożone tylne siedzenie i usadowił się na nim. Veronique wsiadła, zamknęła drzwi i zaczęła szperać po omacku w poszukiwaniu samochodowej zapalniczki. Jej rodzice dopiero co kupili tego wiekowego fiata; w zeszłym tygodniu ich renault ostatecznie odmówił współpracy, akurat wtedy, kiedy wyjechali z różnymi bliższymi i dalszymi krewnymi na urlop do Normandii. Veronique jeszcze ani razu nie paliła w tym samochodzie. Znalezienie po ciemku maleńkiego czarnego przycisku zabrało jej dłuższą chwilę. Wreszcie zapalniczka wskoczyła do jej dłoni. Veronique przypaliła jointa i usadowiła się za kierownicą, w pełni zdając sobie sprawę, że w tym stanie nie może prowadzić.

– Rozstałam się z nim – powiedziała do Césara.

Było już po północy i Veronique czuła, że jest zmęczona. Postanowiła przespać się w samochodzie. Pierwsze promienie słońca obudzą ją i zdąży odjechać, zanim Jean-Pierre wyjdzie z domu i zobaczy, że spędziła całą noc skulona za kierownicą, z bernardynem na tylnym siedzeniu. Odchyliła oparcie najdalej, jak się dało, i poszukała wzrokiem rozświetlonego łagodnym blaskiem okna mieszkania Jeana-Pierre'a. Przypomniała sobie, jak wielkie wrażenie zrobiło na niej to wnętrze osiem miesięcy wcześniej, kiedy poznała go na przyjęciu, a on zaprosił ją do siebie. Ogromnie zaimponował jej tym, że miał całe półki płyt z muzyką wykonawców, o których nigdy w życiu nie słyszała, a do tego kolejne półki, zapełnione książkami autorów, których znała tylko z nazwiska, jak Hubert Shelby Jr., Henry Miller, Kerouac, Bukowski i Julio

Cortázar. Później odkryła, że „Gra w klasy" Cortázara była dla Jeana-Pierre'a jak Biblia; zdarzało mu się przeklinać los za to, że jest rodowitym paryżaninem, a nie emigrantem, niczym Horacio Oliveira, gwiazdor tamtej książki, który przybył do stolicy Francji z Ameryki Południowej. Jean-Pierre żywił przekonanie, iż paryskie pochodzenie utrudnia mu życie. Jednego zakrapianego alkoholem wieczoru wyznał Veronique, że często przechodzi obok swojej dawnej podstawówki, mijając po drodze to miejsce, gdzie kiedyś potknął się o leżącą luzem cegłę, wywalił się, rozbił kolano i wylądował z dłonią w psiej kupie. Za każdym razem wydawało mu się, jakby to było przed sekundą, a nie dwadzieścia pięć lat temu: wciąż czuł smród tego gówna, a w jego uszach brzmiał urągliwy śmiech innych dzieciaków. Zapytał Veronique, jak niby ma cieszyć go wyprawa po rybki do sklepu zoologicznego na Quai de la Mégisserie, skoro wie, że w każdej chwili może tam spotkać tego czy innego spośród licznych znajomych swojej matki, który go rozpozna, zatrzyma i zacznie się dopytywać, czy Jean-Pierre wciąż gra jeszcze na tym swoim wielkim saksofonie i czy znalazł już jakąś porządną pracę, chociaż przecież na pierwszy rzut oka widać, że nie. A on dojrzy w oczach tego człowieka współczucie dla matki, która dochowała się tak nieudanego syna, co to nigdy nie dojrzał i raczej już nie dojrzeje. A gdyby, żalił się Jean-Pierre, dane mu było spędzić dzieciństwo w Argentynie, mógłby teraz swobodnie chodzić po Paryżu, a jego przeszłość dla nikogo nie miałaby żadnego znaczenia.

W jego zbiorach znajdowała się też skromna kolekcja książek autorstwa Anaïs Nin, sześć tomów stojących rządkiem. Veronique bardzo dobrze zdawała sobie sprawę, że półki zapchane literaturą dla półinteligentów i takąż muzyką to trochę za mało, żeby zrobić wrażenie na kimkolwiek; powracając myślami do tego pierwszego wieczoru, doszła do wniosku, że wszystkie jej ochy i achy wzięły się stąd, że akurat w tym momencie przyszła jej ochota, by zrobić z siebie dziewczynkę z oczami jak spodki. Ostatecznie Jean-Pierre był starszy odwszystkich facetów, z którymi się w życiu spotykała. A jednak książki Anaïs Nin wyróżniały się w jego kolekcji, co z kolei doprowadziło Veronique do wniosku, że zapalony miłośnik jej twórczości musi być też mistrzem sztuki kochania, świadomym najgłębiej skrywanych kobiecych pragnień. Zaciekawiło ją, na ile on orientował się w tej dziedzinie. Jean-Pierre włączył płytę z jakąś powolną, pełną dysonansów muzyką, której Veronique słuchała po raz pierwszy w życiu, bez szczególnego zainteresowania zresztą. Nie upłynęło wiele czasu, kiedy zaczął lizać jej ucho, wędrując dłonią po brzuchu, a potem pośladkach opiętych dżinsami. Nie mogła wiedzieć, że dwa tygodnie wcześniej z tego mieszkania, po krótkim lecz ciężkim okresie życia i bycia razem, wyprowadziła się ostatnia dziewczyna Jeana-Pierre'a, zabierając ze sobą wszystkie swoje rzeczy oprócz okropnie brzydkiego młynka do pieprzu, pary zielonych rękawiczek (lewa miała dziurę na czubku kciuka), wyciśniętej do połowy tubki pasty kawiorowej taramasalata i sześciu książek autorstwa Anaïs Nin, tych samych, które stały teraz rządkiem na półce.

Veronique nie była pewna, co sama Anaïs Nin pomyślałaby sobie o *ars amandi* w wykonaniu Jeana-Pierre'a, który nie wydał z siebie praktycznie ani jednego dźwięku, bawił się bez końca jej piersiami, a przez pół godziny, które spędził wewnątrz niej, zdążył wypalić trzy papierosy. Paczka leżała na nocnym stoliku. Jean-Pierre sięgał do niej, wyjmował papierosa, wkładał do ust, zapalał, strząsał popiół obok łóżka, a niedopałki gasił wprost na podłodze – wszystko to robił tylko jedną, prawą ręką. Od początku do końca ani razu nie zmienił rytmu swoich ruchów, nie zasypał jej gorącym popiołem ani nie dmuchnął dymem w twarz. Być może w oczach Anaïs Nin Jean-Pierre byłby na tyle przystojny, że takie rzeczy uszłyby mu płazem. Być może jej sprawiłoby przyjemność, że koniuszki jego długich włosów łaskoczą ją po ramionach. Być może ona zwróciłaby uwagę, że jego penis jest nieco grubszy niż te, z którymi miała dotąd styczność – jak pień drzewa, który z wiekiem przyrasta w obwodzie. Być może Anaïs znalazłaby sposób na przeczekanie tych bardziej monotonnych scen aktu miłosnego – po prostu oddałaby się radosnym marzeniom o byle czym. A kiedy kochanek, czyli Jean-Pierre, doszedłby wreszcie do końca, wycofał się, cisnął mokrą prezerwatywę na podłogę i mruknął: „Nieźle było", być może wtedy Anaïs Nin odwzajemniłaby jego pocałunek i przytaknęła mu na głos, myśląc jednocześnie: „To nie był numer na jedną noc. Mam nowego mężczyznę".

Po tej pierwszej nocy wiedziałam już wszystko, pomyślała Veronique, wiercąc się na fotelu kierowcy, usiłując znaleźć jakąś wygodną pozycję. Już tamten pierwszy raz przyniósł im pełny – czy też prawie pełny – przegląd wszelkich wspólnych doznań. Wszystko, czego Veronique i Jean-Pierre doświadczyli potem, przypominało powtórkę tego samego, dobrze znanego filmu. Film był dobry, momentami nawet bardzo dobry, co nie zmieniało faktu, że za każdym razem działo się dokładnie to samo co przedtem.

Ulicą przeszedł jakiś mężczyzna, minął samochód Veronique i zniknął w ciemności za rogiem. Dziewczyna odprowadziła go wzrokiem, nie przestając palić. Rozmyślała o Jeanie-Pierze, o swoim psie Césarze, o swoim aparacie fotograficznym, o swojej nudnej pracy. Zza rogu ulicy, gdzie zniknął tamten facet, wyszedł kolejny nocny marek, kierując się w stronę jej auta. Przyszło jej do głowy, że to może być ten sam człowiek, który postanowił przyjrzeć się jej bliżej, i na wszelki wypadek sprawdziła, czy wszystkie drzwi są zamknięte.

– Pilnuj mnie, César – mruknęła pod nosem.

Mężczyzna szybkim krokiem minął samochód. Przez jedną krótką chwilę dziewczyna i nieznajomy patrzyli sobie w oczy. Veronique wsunęła kluczyk do stacyjki, zapięła pas i włączyła silnik. Postanowiła wracać do domu. Ten facet krążący dookoła niej wytrącił ją z równowagi – nawet jeśli w rzeczywistości to było dwóch facetów, a każdy z nich taki sympatyczny, że po prostu ze świecą szukać. Mogłoby się nawet okazać, że są to panowie z rodzaju tych, którzy co sobotę zakładają kostiumy, w których wyglądają jak chodzące kiście winogron, i wystają na ruchliwych ulicach, tam, gdzie najwięcej ludzi, grzechocząc puszkami na datki dla biednych dzieci. Poza tym Veronique przewidywała, że w swojej pięknej brązowej kurteczce zmarznie, spędziwszy noc w samochodzie – nawet gdyby miała się wcisnąć na tylne siedzenie, do Césara. W każdym razie poczuła, że nocne powietrze i strach przed nieznajomym rozjaśniły jej już nieco w głowie.

Wrzuciła bieg i ruszyła powoli, ostrożnie. Za Jeanem-Pierre'em nie zatęskniła nawet przez chwilę.

Rozdział trzeci

Włączyła radio. Jakiś łagodny męski głos komentował pogodę w departamencie Dordogne. Usiłując znaleźć przyciski służące do automatycznego wyszukiwania stacji, zjechała na przeciwny pas ruchu. Na szczęście dookoła nie było żywej duszy, a Veronique, kiedy tylko się zorientowała, co zaszło, natychmiast wróciła na właściwy pas.

Zaczęła rozmyślać o tym, co będzie teraz robić, skoro Jean-Pierre to już przeszłość.

– Mam dopiero dwadzieścia dwa lata – powiedziała Césarowi, wykręcając szyję, aby dojrzeć go we wstecznym lusterku – a żyłam jak stare babsko.

Doszła do przekonania, że nawet Jeanne Calment, która zmarła w tym miesiącu, skończywszy sto dwadzieścia dwa lata – co znaczyło, że Veronique była o całe stulecie za nią – że nawet ona miewała w tym roku lepsze momenty. Veronique oglądała w telewizji reportaż o pani Calment: dom spokojnej starości w Arles, gdzie mieszkała rekordzistka, w porównaniu z mieszkaniem Jeana-Pierre'a wyglądał jak Moulin Rouge w czasach największej świetności.

Piosenka „Joe Le Taxi" i taniec w rytm dobrze znanej melodii sprawiły, że Veronique zaczęła się zastanawiać, kiedy to ostatni raz widziała się z Estelle, swoją przyjaciółką jeszcze z czasów szkolnych. Estelle zawsze potrafiła sama pokierować swoim życiem – szło jej to szybciej oraz sprawniej niż Veronique i wszystkim ich znajomym. Pierwsza z całej klasy miała chłopaka; zaczęła chodzić z pewnym posępnym typem, który odznaczał się przeraźliwą bladością i bujną, nieporządną czupryną. Skończyło się to tak, że typ zmusił ją do seksu na tylnym siedzeniu zielonego citroena, którego pożyczył od swojej matki. Piętnaste urodziny Estelle obchodziła w łóżku ciemnookiego perkusisty, znanego z telewizji; obiektu pożądania wszystkich dziewczyn. Kiedy wszystkie znajome miały już chłopaków, bo przecież nie było takiego, którego nie kusiłyby skarby natury skryte pod damską spódniczką, Estelle związała się z pewną młodą aktorką. Mieszkała w apartamencie z widokiem na Sekwanę i produkowała przeraźliwe wierszydła opiewające długie złote pukle Estelle, jej chabrowe oczy, nieskazitelnie gładką skórę i urodę, o której ona sama mawiała, że nigdy nie zblednie. Istotnie, wielu ludzi było skłonnych przyznać jej rację. Ta dziewczyna nigdy nie miewała złych dni – co najwyżej mogła wyglądać na zmęczoną. Nawet wtedy, kiedy wylądowała w szpitalu po drugim przedawkowaniu, a lekarze mówili, że w takiej sytuacji nie można orzec, czy wróci do zdrowia, ona wciąż była piękna, a na jej twarzy malował się spokój, jakby czekała, aż zjawi się ta jedna, właściwa osoba, która obudzi ją pocałunkiem i sprawi, że wszystko będzie dobrze. A kiedy Veronique i inne dziewczyny przechodziły okres fascynacji własną płcią i całowały się jedna z drugą, mając już dość chłopaków, a w skrytości ducha marząc o pocałunkach mężczyzn, Estelle została okazyjną kochanką zadziwiająco dobrze się trzymającego faceta w średnim wieku, który, jak się jej zwierzył, był ofiarą małżeństwa bez miłości. Ofiara miała za to pieniądze, za które kupowała Estelle buty i biżuterię.

Estelle, chociaż zawsze pierwsza we wszystkim, nigdy jednak nie była zazdrosna o swoje odkrycia i chętnie się nimi dzieliła. Kiedy zakosztowała życia klubowego, zaraz oprowadziła koleżanki po wszystkich najlepszych lokalach i przedstawiła im najżyczliwszych dealerów ecstasy; kiedy zorientowała się w rozrywkach, które oferuje miasto Berlin, wyciągnęła znajome na wyprawę badawczą; a kiedy zrobiła sobie tatuaż, zafundowała całej paczce tatuaże na Gwiazdkę.

Estelle robiła też sporo takich rzeczy, które nie wiedzieć czemu, jakoś nieszczególnie pociągały jej koleżanki. Raz schudła tak, że ważyła tylko sześćdziesiąt procent swojej prawidłowej wagi; odesłano ją do kliniki. Wstrzykiwała sobie kilogramy heroiny. Przetłumaczyła na francuski wiersze zebrane R. S. Thomasa.

Obserwowała z zafascynowaniem, jak jej starszy brat krok po kroku przeistacza się w siostrę.

Związawszy się z Jeanem-Pierre'em, Veronique zaniedbała kontakty ze znajomymi. Ale teraz, powiedziała Césarowi, kiedy odzyskała swoją młodość, pierwszą rzeczą, jaką zamierzała zrobić, było spotkanie z Estelle i nadrobienie przerwy w znajomości. Jak zakończy się to spotkanie, nie sposób było przewidzieć. Estelle i Veronique miewały różne pomysły. Potrafiły na przykład wybrać się do któregoś baru na Pigalaku i tam drażnić się z jakimiś podsiwiałymi Angolami, udając lesbijskie kochanki. Zdarzało im się też zalać w trupa katalońską cavą w jakimś nocnym klubie, do którego przychodzili sami Hiszpanie, albo kąpać nago w basenie na dachu rezydencji jakiegoś samotnego milionera.

– A już na pewno nie wpadnie nam do głowy – powiedziała Veronique swojemu bernardynowi – żeby upalać się trawą w czterech ścianach i wsłuchiwać w pejzaże dźwiękowe.

Rozkojarzona, przejechała skrzyżowanie, na którym zamierzała skręcić. Nie przejęła się tym wcale. Wiedziała, gdzie jest, a ruch na ulicy był umiarkowany. Nuciła piosenkę, która leciała w radiu, i było jej bardzo przyjemnie. Nagle szosa opadła. Veronique wjechała do tunelu, powoli i ostrożnie, żeby nie ryzykować obcierki o ścianę.

Rozdział czwarty

Obudził ją dzwonek telefonu w sypialni rodziców. Leżała na łóżku w kurtce i butach. Powoli zsunęła się na podłogę, wstała i poszła odebrać. Każdy sygnał elektrycznego dzwonka czuła tak, jakby ktoś wbijał jej prosto w oko ostro zakończony czubek sosnowej szyszki. Podniosła słuchawkę, ale kiedy otworzyła usta, wydobył się z nich tylko ochrypły skrzek.

– Kto mówi? – dobiegł ją głos z drugiego końca linii.

– Ja.

– Masz głos jak świeży nieboszczyk.

– I czuję się podobnie. Która godzina?

– Za kilka minut druga.

– Posłuchaj, cudownie, że dzwonisz, ale jest niedziela i do tego jakaś zupełnie barbarzyńska pora. Dopiero za kilka minut druga.

– Nie spodziewałam się, że złapię cię w aż takim proszku. Podobno nie pokazujesz się już na mieście. Myślałam, że nocowałaś u tego zgreda Jeana-Pierre'a, narkotyzując się jakimś przeżytkiem, który podobno pomaga zgłębić cuda i tajemnice bliźniaczych sfer światła i dźwięku.

– Coś ci powiem, Estelle. – Veronique wyciągnęła się na wznak na łóżku. – Masz nieaktualne informacje. Odzyskałam wolność. Owszem, byłam wczoraj u niego. Siedzieliśmy sobie, piliśmy i przypalaliśmy, a mnie nie wolno było odezwać się ani słowem, bo on puszczał te swoje muzyki, które brzmią tak, jakby ktoś rozrzucał mrowisko papierem ściernym.

Na stoliku nocnym Veronique dostrzegła szklankę z mętną, odstałą wodą. Opróżniła ją jednym haustem.

– Jak zwykle uwalił się na podłodze i zaczął mędzić, czego to on nie dokona. Mogłabym to ścierpieć, gdyby tylko chociaż raz wcielił w życie któryś z tych pomysłów. Nie przeszkadzałoby mi, gdyby przeprowadził się na lewy brzeg Sekwany, żeby udawać emigranta z Argentyny. Jakoś by się nam układało, gdyby tylko coś zrobił, zamiast ciągle gadać. Mógłby wreszcie zorganizować jakiś koncert, założyć wytwórnię płytową, zebrać ludzi do zespołu albo zacząć pisać i wydawać kieszonkowe elaboraty o naturze jazzu. Ale on nigdy w życiu nie zrobi nic wartego uwagi. Pracuje trzy dni w tygodniu w tej swojej głupiej robocie i pisze artykuły do tego głupiego magazynu, którego nikt nie czyta. A poza tym nawet palcem nie ruszy. Wiesz, że ani razu nie zabrał mnie na film, kiedy szedł robić recenzję? Powiedział, że bym mu przeszkadzała, bo cały czas będę pytać, kto jest kim.

– I tu miał rację. Zawsze tak robisz.

– A kto tak nie robi? W każdym filmie jest za dużo aktorów. Nie znoszę filmów, chyba że są dobre, oczywiście. Dobre mogą być. A w ogóle to Jean-Pierre jest do niczego. Na szczęście to już nie mój problem.

– Wiedziałam, że to między wami nie potrwa długo. Przecież i tak chodziłaś na boki, chociaż formalnie byłaś z nim.

– Ale tylko raz.

– Nieprawda. Przypominam sobie co najmniej dwóch facetów, którym dałaś się zbałamucić, a przecież nie widziałam cię całe wieki.

– Niech ci będzie. Półtora raza. Jeden z tamtych facetów to był mój eks, więc to się liczy tylko połowicznie, bo robiłam z nim wszystko to samo co kiedyś. Aha, no i jeszcze był taki jeden, ale on też się liczy za pół, bo to był znajomy i po prostu jednego razu się upiliśmy. Więc było ich trzech, ale liczę za dwóch. Jak na osiem miesięcy związku, całkiem nieźle. Prawie jak ślubna para.

– Jak uważasz.

– No dobra, zejdźmy ze mnie. Co u ciebie? Co porabiasz?

– To i owo, co podleci. Było ostatnio trochę zamieszania, więc wyjechałam na kilka tygodni na wieś, wyluzować się odrobinę.

Veronique wiedziała, co to oznacza. Od czasu do czasu zdarzało się, że umysł Estelle odmawiał współpracy i rozpadał się jak szkiełka w kalejdoskopie. W takich wypadkach rodzice wywozili ją na wieś do niedrogiego prywatnego szpitala, gdzie mogła siedzieć tak długo, aż się nie pozbierała.

– Trzeba było zadzwonić. Dlaczego nikt mi o tym nie powiedział? Przyjechałabym do ciebie.

– Nie, tym razem to nie było nic poważnego. Musiałam odpocząć i złapać długi oddech, no a w każdym razie czas już był najwyższy odświeżyć sobie trochę gramatykę walijską, bo zaczynała mi rdzewieć. Ostatnio jestem prawie zupełnie normalna, wiesz? Pracuję w butiku z modnymi ciuchami, a mieszkam u Brigitte i jej świnek morskich. – Brigitte to była siostra Estelle. – Jej współlokatorka wyszła za mąż i wyprowadziła się, więc mogłam zająć jeden pokój. Układa nam się nieźle, tylko te zasrane morskie świnie... Słuchaj, skoro obie jesteśmy w tej chwili z odzysku, to musimy gdzieś się razem wybrać.

– Kiedy?

– Dziś. Wieczorem.

– A dokąd pójdziemy?

– No nie, co za pytanie. Wszystko jedno dokąd.

– Przecież jest niedziela. Wszędzie cisza i spokój.

– Jakbym słyszała tego nudziarza Jeana-Pierre'a. Zawsze gdzieś się można zabawić, trzeba tylko znaleźć odpowiednie miejsce. A jak nie znajdziemy, to same coś nakręcimy. Masz czym jeździć?

– Tak. Rodzice wybrali się na trzy tygodnie do Beninu, w odwiedziny do mojego brata i bratowej. Muszą przecież zobaczyć ich śliczne maluchy. No, ale dzięki temu César i ja mamy dom i brykę dla siebie.

– Podjedź po mnie o ósmej, dobra?

– Dobrze. – Veronique umilkła na chwilę. – Estelle?

– Słucham?

– Cieszę się, że się odezwałaś. Myślałam o tobie wczoraj, po wyjściu od Jeana-Pierre'a. Byłaś pierwszą osobą, o której pomyślałam po moim nagłym powrocie do życia.

– Aż mnie dreszcz przeszedł.

– Ale ja poważnie mówię. Stęskniłam się za tobą. Mam cholerne wyrzuty sumienia, że tak długo nie dawałam znaku życia. – Wstyd i zakłopotanie Veronique zawdzięczały wiele ze swej intensywności nieznośnemu kacowi, który ją dręczył.

– No – powiedziała Estelle – teraz to już pieprzysz bzdury. Wracaj do barłogu. Widzimy się wieczorem. – Z tymi słowami rozłączyła się.

Veronique wyciągnęła się na łóżku, odtwarzając z wysiłkiem szczegóły swojej jazdy powrotnej do domu. Nagle poczuła takie zimno, jakby właśnie w tej chwili zaczęła się druga epoka lodowcowa. Przypomniała sobie kraksę.

Zeszła po schodach na dół do kuchni, a z kuchni przeszła do garażu. Rzuciła okiem na samochód. Po lewej stronie, w tylnej części auta, karoseria była wgnieciona, a światło stopu potrzaskane; to w tym miejscu uderzył ją tamten drugi wóz. Nie wiedząc, co z tym począć, wróciła do kuchni. Nalała sobie jeszcze jedną szklankę wody i napełniła miskę Césara, a potem położyła się z powrotem do łóżka, obiecując sobie, że pomyśli o tym za jakiś czas.

Kiedy się obudziła, w automatycznej sekretarce czekała wiadomość. Widocznie tym razem spała tak mocno, że dzwonek jej nie obudził. Wiadomość nagrał Jean-Pierre.

– Wyjeżdżam. Nie będzie mnie przez mniej więcej tydzień – powoli cedził słowa. – Jadę odwiedzić mamę. Nie dzwoń do mnie. – W tym miejscu nastąpiła długa przerwa. – Będę pod numerem... – Jean-Pierre odczytał numer telefonu w mieszkaniu jego matki w Marsylii. – Ale nie dzwoń do mnie. – To był koniec wiadomości. Veronique zastanowiła się przez moment, a potem nacisnęła klawisz „Usuń".

Usiadłszy na łóżku, włączyła telewizor. Dochodziła czwarta po południu. Czuła się już odrobinę lepiej, wciąż jednak uważała, że to był kiepski pomysł, żeby po powrocie do domu doprawić się jeszcze alkoholem. Obiecała sobie, chociaż bez większego przekonania, że nigdy więcej nie weźmie do ust nawet kropelki. W telewizji nadawano wiadomości. Najpierw Veronique zobaczyła wrak dużego czarnego samochodu, roztrzaskanego niemalże na kawałki. W następnym ujęciu pojawił się ktoś, kogo rozpoznała: angielski książę Karol stojący na chodniku przed jakimś szpitalem. A potem ekran wypełniła fotografia księżnej Diany. Veronique zaczęła słuchać komentarza, aż wreszcie dotarło do niej, czego narobiła.

– O, jasna cholera – wyszeptała. – Zabiłam księżną Walii.

Rozdział piąty

Veronique otworzyła drzwi.

– Właź – szepnęła. – Szybko. – Wepchnęła Estelle do środka. – Nikomu nie powiedziałaś?

– O czym? Że zabiłaś księżną Dianę i jej faceta?

Veronique zadzwoniła do przyjaciółki natychmiast po obejrzeniu informacji, błagając na wszystkie świętości, żeby jak najszybciej przyjechała do niej metrem. Estelle doszła do wniosku, że Veronique ma atak histerii, w związku z czym trzeba do niej jechać i podać remedium w postaci kieliszka wina, a jeśli to nie pomoże, zastosować rękoczyn prosty, czyli strzelić raz a dobrze w buzię. Taką miały umowę, zawartą już dawno temu: kiedy jedna zacznie świrować, druga ma prawo przywieść ją do rozsądku za pomocą siarczystego policzka. Setki razy widziały w telewizji, że ta technika się sprawdza.

– No, raczej – Veronique wciąż mówiła szeptem. – A myślałaś, że o czym? To w końcu mówiłaś komuś czy nie?

– Nie, oczywiście, że nie.

– Nawet Brigitte nie powiedziałaś?

– Nawet. Mogłam jej zresztą powiedzieć, bo ona i tak nie słucha, co do niej mówię. W głowie jej tylko świnki morskie, ciuchy i ta banda jej narzeczonych.

Veronique nie słuchała, co mówi Estelle.

– To co ja mam teraz robić? – zapytała.

– Przede wszystkim napij się czegoś i postaraj się uspokoić.

Ta dobra przyjacielska rada została przyjęta ciepło. Przeszły do kuchni.

– Jesteś czysta? – zapytała Veronique przyjaciółkę, czując, że znów odzywają się wyrzuty sumienia z powodu zaniedbanej znajomości. Spojrzała na Estelle, robiąc zawstydzoną minę, dokładnie taką samą, jaką miał zwyczaj epatować César przyłapany na załatwianiu się na dywan.

– Jak łza. Heroiny nie biorę już od półtora roku. I nigdy więcej jej nie wezmę. Hera fatalnie wpływa na cerę. Ostatnio postanowiłam, że na imprezach łykam jedną pastylkę i szlus. Zresztą, odkąd wróciłam ze wsi, nie było zbyt wiele okazji do imprezowania. Piję soki owocowe i nic poza tym. Mogę więc chyba powiedzieć, że jestem czysta.

– A poezja walijska? – zapytała Veronique. Kiedy Estelle zerwała w końcu z heroiną, wpadła jej w ręce antologia wierszy walijskich poetów. Od tej pory dałaby się pokroić za każdą zwrotkę.

– No, jeśli chodzi o poezję walijską, nie mogę powiedzieć, że jestem całkiem czysta – odparła Estelle, a jej oczy zasnuły się mgłą. – Część mojego serca już na zawsze należy do Dylana Thomasa, R. S. Thomasa i całej reszty innych Thomasów.

Estelle umilkła, wiedząc, że musi zachować umiar, bo o walijskiej poezji, jeśli się rozpędzi, może mówić bez końca. Podczas ostatniego pobytu w szpitalu kolektyw pacjentów wręczył jej oficjalną petycję zawierającą prośbę o ograniczenie występów recytatorskich oraz wykładów na rzeczony temat do jednej godziny dziennie. Podpisali ją wszyscy – nawet ci, którzy od rana do wieczora nie wstawali z foteli, lecz kiwali się w nich monotonnie w tę i we w tę, pojękując z cicha. Nawet oni znaleźli w sobie dość sił, żeby złożyć podpis pod tym protestem. Do inicjatywy przyłączyło się także kilka pielęgniarek. Tak więc Estelle ugryzła się w język, poświęcając całą uwagę otwieraniu butelki wina.

– Mówiłaś, że pijesz tylko soki owocowe – zauważyła zdziwiona Veronique.

– A winogrona to co, nie owoce przypadkiem?

– No, chyba tak. Usiądźmy, opowiem ci o wszystkim.

Zabrały kieliszki i ruszyły do pokoju, a za nimi podreptał César.

– W jednej chwili przypomniałam sobie wszystko – zaczęła Veronique. – Jechałam do domu, znudzona jak diabli tym wieczorem u Jeana-Pierre'a; opowiadałam ci o tym. Prowadziłam bardzo powoli i bardzo ostrożnie, bo zdawałam sobie sprawę, że mam wypite i na dodatek jestem upalona. Wjechałam do tunelu, tego samego, o którym mówili w wiadomościach. Nagle od tyłu oświetliły mnie bardzo jasne światła. Jakiś samochód zbliżał się do mnie. Zasuwał jak cholera i nie chciał zwolnić. Wyglądało na to, że szykuje się, żeby wyprzedzić mnie po wewnętrznym pasie. Wkurzył mnie tym chamstwem i postanowiłam dać mu nauczkę. Zajechałam mu drogę, ale zamiast grzecznie zwolnić, on jeszcze dodał gazu. Próbowałam uciec, ale przywalił we mnie tak, że zniosło mnie aż na drugą stronę jezdni. Chyba cudem się nie rozmazałam na ścianie tego tunelu. Strasznie było, mówię ci, ale jakoś się pozbierałam, wdepnęłam gaz do dechy i prysnęłam. Okropnie się martwiłam, że Césarowi coś mogło się stać. Bałam się spojrzeć w lusterko, ale usłyszałam za sobą głuchy huk. W radiu leciała muzyka, pamiętam Davida Bowiego, śpiewał „Heroes". To trochę zagłuszyło tamten łomot. Wiesz, do czego to było podobne? Kiedy prowadzisz w szpilkach i parkujesz samochód, to czasem noga ci się omsknie i wtedy nie ma zmiłuj: rozpieprzasz tylnym zderzakiem cały przód tego, co stoi za tobą. To był mniej więcej taki odgłos. – Obie przyjaciółki znały ten dźwięk doskonale. – Nie wyglądało to na nic poważnego, ale słyszałam, jak tamten na mnie trąbi, więc chyba musiał mocno się wkurzyć.

– Jesteś na sto procent pewna, że ani trochę nie histeryzujesz? – zapytała Estelle, której przypomniało się, jak to kiedyś Veronique przez całą niedzielę chowała się za łóżkiem w swoim pokoju, absolutnie przekonana, że na drzewie za oknem czai się dziewięćdziesięcioletnia sąsiadka z naprzeciwka uzbrojona w dmuchawkę i kołczan pełen zatrutych strzał, czekając, kiedy tylko Veronique pojawi się na widoku.

– Jestem pewna, uwierz mi. Chodź. – Veronique poprowadziła przyjaciółkę do garażu bocznym wyjściem z kuchni i pokazała jej wgniecenie w karoserii. Tylne światła były rozbite, a blacha nieco pokrzywiona, ale prawdę mówiąc, nie wyglądało to szczególnie dramatycznie.

– Żadne wielkie halo – uznała Estelle. – Na pewno się nie pomyliłaś?

– Nie, nie, szkoda gadać. Tunel, godzina, samochód... To ja spowodowałam ten wypadek.

– Zaraz – powiedziała Estelle. – Coś mi przyszło do głowy.

– Co takiego?

– O w mordę!

– Dobra – zawyrokowała Estelle. – Nie będzie z tym wielkiego problemu. Sytuacja jest do opanowania. Musimy tylko znaleźć jakieś praktyczne rozwiązanie.

Przez dłuższą chwilę piły w milczeniu.

– Kiedy twoi rodzice wracają z Afryki?

– Za jakieś trzy tygodnie.

– No to już po sprawie. Naprawimy samochód i nabierzemy wody w usta. Kiedy mamusia i tatuś wrócą z wakacji, zastaną w domu wóz bez jednego zadrapania i szczęśliwą, wypoczętą córeczkę. Nie przyjdzie im nawet do głowy, że coś jest nie tak. W wiadomościach nic nie wspominali o małym białym samochodzie, więc kto się może czegoś domyślić?

– Jestem spłukana. Nie stać mnie na naprawę. – Veronique przez chwilę zaczęła żałować, że kupiła tę nową kurtkę, ale spojrzawszy na oparcie krzesła, gdzie wisiała w pełnej krasie, poczuła, że robi jej się ciepło na duszy. To był zdecydowanie właściwy wybór.

Estelle się zamyśliła. W jej głowie narodził się plan, który z wolna zaczął nabierać kształtów.

– Jean-Pierre pali dużo trawy, zgadza się?

– Tak.

– A wiesz, co wszyscy faceci palący dużo trawy mają wspólnego?

– Nie bardzo. – Veronique zastanowiła się przez chwilę. – Zniszczone włosy?

– Nie. To znaczy tak, przeważnie tacy faceci mają zniszczone włosy, ale chodziło mi o coś innego. Tacy faceci mają długi u swoich kobiet. Wszyscy, co do jednego. Kiedy potrzebują pieniędzy, pożyczają, z tym że na wieczne nieoddanie. Nawet kiedy są przy forsie, nie dostaniesz od nich złamanego grosza. Szczypią się z każdym frankiem, chomikują kasę jak wiewiórki orzechy na zimę, bo wciąż myślą tylko o tym straszliwym dniu, kiedy zabraknie im na grama. Ile Jean-Pierre jest ci winien?

Estelle, oczywiście, miała rację. Veronique pożyczała Jeanowi-Pierre'owi pieniądze, jeszcze zanim jej kochanek dostał pracę w redakcji czasopisma. Nigdy nie doczekała się ich zwrotu. Jean-Pierre ani razu nawet o tym nie wspomniał, chociaż Veronique wiedziała, że zarabia dość, żeby odłożyć co nieco.

– Sześć tysięcy franków – odpowiedziała. – Cholera. Najpierw trzeba było go zmusić, żeby oddał, a potem zostawić. – Opowiedziała przyjaciółce o plikach banknotów, które widziała w szufladzie w sypialni Jeana-Pierre'a.

Estelle przewróciła oczami.

– To chodźmy do niego po tę kasę.

– Nie da rady.

– Dlaczego?

– Jean-Pierre wyjechał do matki, która mieszka w Marsylii. Nie mam do niej telefonu.

– Czyli jego dom stoi pusty?

– Tak.

– A masz klucz?

– Mam. – Kiedy Veronique wychodziła od Jeana-Pierre'a, nie przyszło jej do głowy, aby podkreślić nieodwołalność swojej decyzji, oddając mu klucze do mieszkania.

– No to jesteśmy w domu.

– Jak to?

– Problem z głowy.

– Niby jak?

– Noo... – Estelle zaczęła mówić, zataczając dłonią kółka w powietrzu, jakby w ten sposób łatwiej jej było wyjaśnić sprawę, która przecież nie wymaga wyjaśnień. – Puste mieszkanie – tłumaczyła. – Szuflada pełna forsy. – Nie przestawała gestykulować, co wyglądało tak, jakby kręciła kołowrotkiem, wyciągając z wody jakąś wyjątkowo nierozgarniętą rybę. – Ty masz klucz – dodała. Przestała obracać dłonią i złapała się ze zrozpaczoną miną za włosy. Kiedy i to nie pomogło, z równie zrozpaczoną miną zaczęła szarpać za włosy przyjaciółki.

– Aha – Veronique załapała wreszcie, o co chodzi Estelle. – Kapuję. Ależ z ciebie czarny charakter. Ale nie ma mowy. Tego nie zrobimy.

– Dobrze. Tego nie zrobimy. – Estelle puściła włosy Veronique i uśmiechnęła się. – Przypomnij mi tylko jedną rzecz. Kto zabił księżną Walii?

– Jasna cholera – zaklęła Veronique. Wbiła wzrok w ścianę, zagryzając wargę i uderzając kostkami palców o siebie. – Dobra. Zrobimy po twojemu. Ale jutro, dziś już za późno. Zostań u mnie na noc i pomóż mi z tą butelką. Jak się napiję, to może zasnę.

Estelle podniosła słuchawkę telefonu, zadzwoniła do siebie i nagrała wiadomość na automatyczną sekretarkę.

– Hej, Brigitte. Tu piękna Estelle. Ufam, że miło spędziłaś dzień w pracy. Nie będzie mnie dziś w domu, wracam jutro. Jestem u Veronique, szalejemy jak nigdy. Nie mam czasu na życie rodzinne. – Odłożyła słuchawkę. – Musiałam się jej nagrać. Brigitte troszczy się o mnie. Gdyby po powrocie z pracy nie zastała mnie w domu, to przez całą noc nie zmrużyłaby oka, co dla mnie oznacza nieliche kłopoty. Coś mi się zdaje, że zaczyna mnie traktować jak trzecią świnkę morską w swojej kolekcji.

Veronique włączyła telewizor, ale na wszystkich kanałach trąbiono tylko o wypadku księżnej Diany. Zamiast telewizji obejrzały więc film na wideo. Przez cały czas Veronique usilnie starała się nie myśleć o tym, co zrobiła. Zaczęły rozmawiać, starannie unikając tematów związanych z samochodami, tunelami i tragicznie zmarłymi księżnymi; wkrótce zapomniały o filmie, który od tej pory brzęczał cicho sam dla siebie. Veronique oparła bose stopy na żebrach Césara leżącego na podłodze, czując, jak unoszą się w rytm jego pochrapywania.

Rozdział szósty

Obudziły się z głowami pękającymi od bólu. Zmyły z siebie pod prysznicem lepką warstwę pijackiego potu. Przy ubieraniu nie obyło się bez kłótni, jakie ciuchy są najbardziej odpowiednie, kiedy idzie się na włam. Wlały w siebie całe litry wody z lodem (do popicia aspiryny) i zadzwoniły do swoich mrukliwych szefów, wymawiając się od przyjścia do pracy z uwagi na niebywałe sensacje żołądkowe. Potem zeszły do metra i pojechały do dzielnicy, w której mieszkał Jean-Pierre. Przez całą drogę nie odezwały się do siebie ani słowem. Siedziały jak manekiny, Estelle na wpół śpiąca, Veronique usiłując za wszelką cenę nie zwracać niczyjej uwagi.

– Styl autentycznej cyganerii – ziewnęła Estelle po wyjściu z metra, kiedy zobaczyła ulicę, wzdłuż której ciągnęły się rzędy nowoczesnych domów, biurowców i apartamentowców, co do jednego zbudowanych (ale nudziarstwo!) z cegły. – Dla tego Jeana-Pierre'a jak znalazł.

– Tam gdzie on mieszka, jest całkiem znośnie – powiedziała Veronique – no i zawsze jest wolne miejsce do parkowania. Mogłam trafić gorzej.

Przez chwilę zastanowiła się, czy wytrzymałaby z Jeanem-Pierre'em aż tak długo, gdyby nie to, że w okolicy jego domu tak wygodnie się parkuje. Po kilku minutach dotarły do właściwego budynku.

Dręczący Veronique kac osłabł nieco, stępiony aspiryną i adrenaliną. Zamiast niego gryzło ją teraz inne uczucie, którego nie potrafiła jednoznacznie określić. Wyjęła z torebki swój komplet kluczy i otworzyła główne drzwi wejściowe. Weszły po schodach na górę i stanęły przed drzwiami do mieszkania Jeana-Pierre'a. Veronique włożyła klucz do zamka. Resztki rumieńca znikły z jej twarzy jak starte. Wyjęła klucz z powrotem.

– A jeśli on tam jest? – zapytała szeptem Estelle. – Jeśli pociąg do Marsylii nie przyjechał, a Jean-Pierre wrócił z dworca do domu?

– No cóż – odpowiedziała Estelle. – Sprawdź to. Zapukaj.

– Pewnie. Mogę zapukać. – Veronique obejrzała się na drzwi, ale nie ruszyła nawet palcem. – A jak otworzy? Przecież może być w domu.

– To wtedy przyznasz mu się do wszystkiego.

– Co? – wysyczała Veronique, wytrzeszczając oczy tak szeroko, że Estelle zaczęła się poważnie obawiać, że wyjdą jej na wierzch i zawisną na tych swoich obślizgłych żyłkach, obijając się o policzki. – Mam mu się przyznać, że zabiłam księżną Dianę? Ot tak sobie? Jak się masz, Jean-Pierre, co porabiasz? A tak przy okazji, nie zgadniesz, jaki numer ostatnio wywinęłam! A jeśli on zadzwoni po policję?

Estelle przymknęła oczy, potrząsając głową.

– Nie – powiedziała, starając się za wszelką cenę zachować cierpliwość. – Myślałam o czymś innym. Jeśli zapukasz, a on otworzy, wtedy powiemy mu szczerze, że przyszłyśmy po pieniądze. Postanowiłaś uczcić wasze rozstanie i kupić sobie parę szałowych pantofli, a że akurat byłyśmy w tej okolicy, wpadłyśmy tutaj, do niego, żeby sprawdzić, czy może przypadkiem zdecydował się nie jechać do Marsylii i czy – też przypadkiem – nie może ci zwrócić tych sześciu tysięcy franków, które od ciebie pożyczył.

– Aha. O to ci chodziło. No, to już brzmi lepiej. Dobra. – Veronique była absolutnie pewna, że ta wymówka jest szyta grubymi nićmi, ale czuła zbyt wielki mętlik w głowie, żeby dostrzec te niezdarne szwy. Była wręcz zadowolona, że to Estelle zajmuje się całą strategią. – A jeśli poprosi, żebym do niego wróciła? Jeżeli będzie błagał o jeszcze jedną szansę?

Estelle puściła te słowa mimo uszu i walnęła pięścią w drzwi. Nikt nie odpowiedział, więc wyrwała swojej towarzyszce klucze i otworzyła. Skierowały się wprost do dużego pokoju, a Veronique włączyła światło.

– Zaraz. Wszystko po kolei – powiedziała Estelle. – Gdzie tu jest kuchnia?

Veronique pokazała jej palcem. Po chwili Estelle wróciła, niosąc w rękach dwie butelki piwa.

– Podobno pijesz tylko soki owocowe.

– A z czego robi się piwo?

– Z jęczmienia. Chyba.

– A jęczmień to nie owoc, jak sądzisz?

– Nie wydaje mi się.

– To w takim razie co?

– Trudno powiedzieć. Może zboże.

– Zboża to też owoce. Czy ty naprawdę na niczym się nie znasz? A tak w ogóle mamy tutaj sytuację kryzysową, więc nie marudź, tylko pij to piwo.

Usadowiły się na kanapie. Estelle rozejrzała się po pokoju. Nigdy nie była z wizytą u Jeana-Pierre'a.

– Mieszkanko jak u artychy – mruknęła. – Pasuje do niego.

Estelle znała Jeana-Pierre'a z kilku przelotnych spotkań, co oznaczało, że ledwie kojarzyła, jak wygląda, a i to dotyczyło głównie jego włosów i nieznośnie zmanierowanego sposobu wydmuchiwania dymu, kiedy palił papierosa. Ani to mieszkanie, ani też cała okolica nie były dostatecznie artystowskie jak na kogoś o tak bardzo rzucających się w oczy aspiracjach do miana członka paryskiej bohemy.

– Jedna rzecz mi się tu podoba – dodała Estelle. – Świnie morskie nie włażą ci na głowę.

Zapaliły. Rynka na węgiel, która służyła Jeanowi-Pierre'owi za popielniczkę, była pełna petów, więc bez obaw dorzuciły do niej swoje niedopałki, wiedząc, że w razie czego policji nie przyjdzie do głowy tego sprawdzać. Zimne piwo złagodziło nieco resztki dręczącego je kaca.

– No, dobra – powiedziała w końcu Veronique. – Chcę mieć to już za sobą. Nigdy jeszcze nikogo nie okradłam i jakoś nie mogę się zdecydować, czy to mi się podoba czy nie.

– W takim razie rusz tyłek i idź po te pieniądze. Nie musimy tu siedzieć cały dzień. Widzę, że złodziejka z ciebie jak z jeża szczotka do włosów.

– Dobra. – Veronique wstała i ruszyła do sypialni Jeana-Pierre'a. Czuła się głupio. Widząc rozgrzebane łóżko, wyciągnęła się na nim, wciągając w nozdrza zapach, z którym tak dobrze się zżyła – mieszaninę tytoniu, szamponu i mężczyzny. Potarła policzkiem o poduszkę i ułożyła na niej głowę, przyglądając się sennym wzrokiem poszwie, gdzie jej krótkie, lśniące włosy leżały zmieszane z jego długimi i ciemnymi. Zamknęła oczy i odetchnęła pełną piersią, wdychając tę woń, którą usunęła ze swojego życia w tak radykalny sposób. Zasnęła.

Zerwała się nagle, jakby ktoś przyłożył jej szuflą w głowę. Z drugiego pokoju wołała do niej Estelle, pytając, czy już coś znalazła. Veronique podniosła się z łóżka i otworzyła szufladę, w której Jean-Pierre trzymał pieniądze. Znalazła w niej naręcze koszul, ale ani jednego banknotu. Otworzyła po kolei resztę szuflad, ale w żadnej nie było jego oszczędności. Zajrzała pod materac. Przeszukała szafki.

– Dupa – zaklęła pod nosem, widząc, że po pieniądzach nie ma ani śladu. – Dupa! – zawołała do Estelle w drugim pokoju.

Razem zabrały się za rewizję całego mieszkania, wyciągając szuflady, zaglądając za książki i płyty stojące na półkach, podnosząc lampy, przesuwając fotele. Półgodzinne poszukiwanie przyniosło plon w postaci dziewiętnastu zapalniczek, sześciu skarpetek, dwóch talii kart z gołymi panienkami i jakiegoś dziwnego przedmiotu, który w ogólnych zarysach przypominał obieraczkę do kartofli. W jednym kubku znalazły siedemdziesiąt trzy franki w drobnym bilonie, ale nigdzie nie było spodziewanego pliku banknotów.

– To co teraz? – zapytała Veronique.

– Facet wisi ci kasę, tak czy nie?

– No... tak?

– W takim razie znajdziemy inny sposób, żeby ją od niego wyciągnąć.

– A czy ten inny sposób... Czy to też będzie przestępstwo?

– Nie do końca.

– Znaczy, że będzie. Tak?

– No, wiesz... Formalnie biorąc, rzecz wymaga niewielkiego naruszenia obowiązujących przepisów, ale ty przecież masz moralne prawo odzyskać swoje pieniądze, więc moim zdaniem tak naprawdę nie ma tutaj mowy o przestępstwie. Z etycznego punktu widzenia wszystko jest zgodne z prawem, czyli masz czyste sumienie, a to najważniejsze.

– Chyba że złapią nas gliny.

– Dopuszczam możliwość, że policjanci uznają nasz czyn za etycznie niewłaściwy, choć w zasadzie szanse na to są dość nikłe. Ale tym się nie przejmuj, bo nikt nas nie złapie.

– Skąd wiesz?

– Wiem i już. Przypomnij sobie: czy mnie ktoś kiedyś przyłapał na kradzieży?

– Dwa razy.

– A. No tak. – Estelle zdążyła zapomnieć o swoich konfliktach z prawem. – Ale wyjąwszy te dwa przypadki, złapał mnie kiedyś ktoś?

– Nigdy.

– No widzisz. Wiem, co robię.

– Ale jak odzyskamy moją forsę? – Veronique nastawiła się w duchu na najgorsze. Nie wiedziała jeszcze, co to ma oznaczać, ale spodziewała się czegoś naprawdę strasznego.

– Pamiętasz te czasy, kiedy nie dało się ze mną o niczym pogadać, bo byłam beznadziejnie uzależniona od heroiny?

– Pamiętam.

– A skąd brałam pieniądze na dokarmianie nałogu?

– O ile mnie pamięć nie myli, miałaś wielu bogatych kochanków. Ja na to nie pójdę. Poza tym nie mam czasu na podchody. Pieniądze są mi potrzebne natychmiast.

– Zgadza się. Miałam bogatych kochanków, ale nie myśl sobie, że sypiałam z byle kim. Facet musiał być przynajmniej przystojny. A w ogóle to ja nie o tym. Poza seksem kradłam też różne rzeczy. Ciuchy, płyty, AGD, co mi wpadło w ręce. Sprzedawałam to potem takiemu jednemu, nazywa się Clément. Wstrętny typ. Włosy ma ohydne, ale opłaca się go znać. Daje dobre ceny.

– No i...?

– No i ja teraz zadzwonię do Clémenta, on tu przyjdzie i kupi o, tamto. – Estelle wskazała palcem małą, ale drogą wieżę Jeana-Pierre'a. Starała się to ukryć, ale Veronique zauważyła, że ślini się do tego sprzętu jak pies do kiełbasy.

– Nie. To by było świństwo. – Veronique wzdrygnęła się na samą myśl o czymś takim. – To tak, jakbyśmy mu wydłubały oko albo przebiły bębenki pałeczkami do ryżu. – Pokazała gestem, jak przebija się bębenki pałeczkami do ryżu.

Estelle potrząsnęła głową.

– Ale z ciebie ciepłe kluchy. Chora jesteś czy co?

– Ta wieża to jego skarb. To go załamie.

– A nie zapomniałaś przypadkiem, co ty sama masz na sumieniu? A o tych sześciu tysiącach franków – twoich franków – które on wciąż ma w kieszeni, też już nie pamiętasz? Uważasz, że on by ci je kiedyś oddał? Nie jesteś mu nic winna. Ten facet to łajza.

Veronique jęknęła, przyciskając dłoń do czoła. Czuła, że za wszelką cenę musi wydobyć się z tego kanału, żeby móc zapomnieć o wszystkim i żyć dalej jakby nigdy nic.

– Dobra. Dzwoń do tego swojego kumpla.

– Tylko nie kumpla. Nic mnie z nim nie łączy. Muszę iść do automatu, stąd przecież nie będę do niego dzwonić. Siedź tu i czekaj. Zaraz wracam.

Veronique upewniła się, że drzwi są zamknięte na klucz. Usiadła na kanapie, popijając piwo i starając się nie myśleć zbyt intensywnie o tym, w co się pakuje. Spróbowała się odprężyć, ale nic z tego nie wyszło, więc wstała i podeszła do poduszki, która służyła Césarowi za posłanie. Sierść leżąca na poduszce skojarzyła jej się z włosami Jeana-Pierre'a w sypialni. Obok stała psia miska, duża, jasnobrązowa, z imieniem „César" wypisanym wielkimi czarnymi literami. Chętnie zabrałaby ją ze sobą, ale wiedziała, że to niemożliwe. Wczoraj jej bernardyn pił z niej po raz ostatni.

Przypomniał jej się ten dzień, kiedy dostała od Jeana-Pierre'a tę miskę. „Mam coś dla ciebie", powiedział, a ona zapytała, czy to ma być prezent urodzinowy. „Nie – odparł Jean-Pierre – po prostu chciałem ci to dać. Bez konkretnego powodu". Wręczył jej psią miskę, opowiadając jednocześnie, że przechodził tego dnia obok sklepu, gdzie można było zamówić wypisanie na misce konkretnego imienia, i od razu przyszła mu na myśl Veronique i César. Powiedział, że nie mógł sobie tego odmówić. Ten gest i troskliwość postawiły Jeana-Pierre'a w nowym świetle, czyniąc go w oczach Veronique wspaniałym, tajemniczym dobroczyńcą. Tej nocy, kiedy się z nim rozstała, był zupełnie inny, bez odrobiny życia, skoncentrowany na sobie.

Zadzwonił telefon. Veronique o mały włos nie padła trupem ze strachu. Uspokoiła się, kiedy zrozumiała, że to tylko telefon, nie syrena radiowozu. Zaczekała, aż włączy się automatyczna sekretarka. Z taśmy rozległ się głos Jeana-Pierre'a; jego właściciel był na haju, a w tle grał Miles Davis. Potem Veronique z wielką ulgą usłyszała w głośniku Estelle. Podniosła słuchawkę.

– Nigdzie nie było telefonu, musiałam cofnąć się aż do metra. Poczekam tutaj na Clémenta i przyjedziemy razem jego samochodem. Powiedział, że w tej chwili jest zajęty, ale za pół godziny może do nas podskoczyć.

– Dobrze, czekam. Pod czwórką, pamiętaj. Zadzwoń domofonem.

Veronique dotknęła kilku przycisków, żeby ich rozmowa nie została na taśmie. Usiadła. Zebrała w dłoń kilka kosmyków włosów i zaczęła pleść warkoczyk. Ze wszystkich sił starała się wypędzić z głowy wszelkie myśli, a przede wszystkim te dotyczące Jeana-Pierre'a.

Pół godziny, powiedziała Estelle. Skoro miało być pół godziny, dlaczego zaledwie po kilku minutach Veronique usłyszała chrobot klucza w zamku? Estelle nie wzięła ze sobą kluczy, więc to nie mogła być ona z tym Clémentem, który miał zabrać wieżę Jeana-Pierre'a. Veronique zerwała się, chcąc biec do sypialni, żeby tam się schować, ale poczuła, że nogi się pod nią uginają, więc nie zrobiła ani kroku, tylko stała w miejscu jak wmurowana, z butelką piwa w jednej ręce i papierosem w drugiej, ze wzrokiem wbitym w drzwi, które zaczęły się otwierać jakby w zwolnionym tempie. Jeden zawias skrzypiał; nigdy przedtem nie zwróciła na to uwagi, ale teraz hałas był wprost ogłuszający. Pomimo przerażenia ułożyła sobie w głowie krótki tekścik: „Och, Jean-Pierre, przepraszam za wczoraj. Chcę do ciebie wrócić". Nie miała czasu, żeby wymyślić usprawiedliwienie dla swojej obecności w jego mieszkaniu, skoro poinformował ją, że wyjeżdża do Marsylii.

Ale w drzwiach nie pojawił się Jean-Pierre ani też Estelle z Clémentem. To był ktoś inny. Mężczyzna. Olbrzymi, ponury mężczyzna, który żeby zmieścić się w drzwiach, musiał się dobrze zgarbić. A kiedy już przekroczył próg, zamarł niby lodowy posąg, wbijając ciężki wzrok w Veronique.

Rozdział siódmy

Miał co najmniej metr dziewięćdziesiąt pięć wzrostu, gęste włosy koloru srebra i gęste wąsy w tym samym kolorze. Powoli ruszył z miejsca i podszedł do Veronique, która, żeby spojrzeć mu w twarz, musiała zadrzeć głowę. On zaś patrzył w dół, prosto na nią, a jego oczy zdawały się niknąć pod masywnym czołem i krzaczastymi srebrnosiwymi brwiami. Z ramienia zwieszała mu się torba, a w każdej ręce trzymał niewielką drewnianą skrzynkę.

Wreszcie Veronique się uśmiechnęła.

– Och, to ty, wujaszku Thierry – powiedziała. – Dzień dobry.

Nie odezwawszy się ani słowem, wujaszek Thierry minął Veronique i przeszedł do pokoju Jeana-Pierre'a. Drzwi wciąż były otwarte, tak jak je zostawiły dziewczyny, plądrując mieszkanie. Veronique zdusiła papierosa w popielniczce i ruszyła za nim. Stanęła w progu, oparłszy się o framugę drzwi, i przyglądała się w milczeniu. Wujaszek Thierry otworzył okiennice i przez chwilę zapatrzył się na widok z okna. Potem powoli podniósł z podłogi jedną skrzynkę, ustawił ją na parapecie, a następnie, równie powoli, powtórzył czynność z drugą skrzynką. Veronique milczała. Wujaszek Thierry zerknął na zegarek, po czym wydobył z kieszeni ołówek i bloczek papieru, w którym zapisał godzinę. Skończywszy pisać, sięgnął ku skrzynkom i uniósł druciane kratki umieszczone na pionowej ściance zwróconej ku otwartemu oknu. Nic. Postukał potężnymi knykciami lewej ręki w wierzch jednej skrzynki. Ze środka wypadł gołąb i poszybował nad dachami domów. Wujaszek, nie tracąc czasu, stuknął olbrzymim knykciem prawej ręki w drugą skrzynkę, z której też wyleciał gołąb. Wujaszek Thierry patrzył w ślad za ptakami, dopóki nie zniknęły mu z oczu, a potem zabrał puste skrzynki, minął Veronique i wrócił do dużego pokoju. Usadowił się na kanapie.

Veronique stanęła przed nim.

– Jak się wujaszek miewa? – zapytała. – W porządku? Dobrze wujaszek wygląda.

Wujaszek nie odezwał się ani słowem. Ściągnął z ramienia swoją torbę, położył ją na kolanach i poszperawszy w środku, wyciągnął plastikowe pudełko. Otworzył je i wyjął grubą kanapkę, którą odwinął z folii i zaczął jeść, powoli, za to wielkimi kęsami.

– Z czym ma dziś wujaszek kanapki? – zapytała Veronique, kiedy połowa pierwszej była już zjedzona.

Wujaszek Thierry odgryzł kolejny kęs.

– Chyba widzę tam sałatę – powiedziała Veronique.

Wujaszek Thierry rozchylił kromki chleba i zapatrzył się przez moment w otwartą kanapkę.

– I pomidorki – dodała Veronique. – I chyba jakieś mięso. Szyneczka?

Wujaszek Thierry zamknął kanapkę i odgryzł jeszcze jeden kęs.

– Jeana-Pierre'a nie ma – poinformowała go Veronique. – Jestem dziś sama.

Wujaszek Thierry odgryzł kęs, po którym z kanapki nie zostało prawie nic.

– Jak minęła wujaszkowi podróż? – zapytała Veronique.

Wujaszek przełknął ostatni kęs, po czym odwinął następną kanapkę.

– Ma dziś wujaszek wszystkie kanapki z tym samym – nie dawała za wygraną Veronique – czy może niektóre są z czym innym?

Wujaszek Thierry przeżuwał w milczeniu. Zazwyczaj to Jean-Pierre zabawiał go rozmową. Veronique miała nadzieję, że zdołała już wyczerpać temat drugiego śniadania.

Wujaszek spojrzał na nią.

– Co u ciebie, Veronique? – zapytał cichym głosem.

– Wszystko w porządku, dziękuję. Bardzo się cieszę, że widzę wujaszka. – Mówiła zupełnie szczerze.

Wujaszek Thierry odgryzł kolejny wielki kęs kanapki.

– Przepraszam! – wykrzyknęła nagle Veronique. – Prawie na śmierć zapomniałam! Przynieść wujaszkowi piwa?

Wujaszek uniósł dwa palce. Veronique pospieszyła do kuchni. Na szczęście w lodówce były jeszcze trzy butelki; otworzyła dwie i zaniosła do pokoju. Jean-Pierre zawsze częstował swojego wujka piwem i zawsze miał w lodówce co najmniej dwie butelki na wypadek jego niespodziewanej wizyty. Nawet gdy późno w nocy chcieli z Veronique napić się czegoś przed pójściem do łóżka, tych dwóch butelek dla wujaszka nie wolno było ruszyć, nawet jeśli to miało oznaczać, że pójdą spać o suchym pysku. Veronique uwielbiała się przyglądać, jak Jean-Pierre rozmawia z wujaszkiem Thierrym. Słuchał go z wielką uwagą i cierpliwością, nawet kiedy tamten nic nie mówił. Za każdym razem po wyjściu wujaszka serce Veronique wzbierało taką czułością dla Jeana-Pierre'a, że musiała siłą się powstrzymywać, żeby mu się nie oświadczyć.

Wujaszek Thierry osuszył pierwszą butelkę. W tym momencie zadzwonił domofon.

– Sprawdzę kto to – powiedziała Veronique. Postanowiła zejść na dół i sama otworzyć Estelle i Clémentowi główne drzwi, żeby mieć sposobność powiedzieć im, że zdarzyła się niespodziewana wizyta. – Za chwilkę wracam. Niech się wujaszek rozgości.

Wujaszek Thierry jadł kanapki i pił piwo, patrząc wprost przed siebie. Veronique wybiegła na schody. Estelle z Clémentem wchodzili już na górę.

– Jean-Pierre ma miłych sąsiadów. Jeden był taki uprzejmy, że nas wpuścił, wychodząc – powiedziała Estelle. – Przy okazji, to jest Clément. Clément, to jest Veronique.

– Cześć, Clément – przywitała się Veronique z uśmiechem o wiele szerszym, niż było trzeba. Uważnym spojrzeniem obrzuciła nowo poznanego mężczyznę od stóp do głów. Estelle mówiła prawdę – włosy miał w tragicznym stanie. Wredna twarz i znoszone ciuchy dopełniały wizerunku typowego pasera; Veronique spodziewała się zobaczyć kogoś właśnie w tym typie, tylko te włosy... Tak zniszczonych jeszcze nigdy w życiu nie widziała. – Jak leci? – dodała uprzejmie.

Clément najwidoczniej nie miał czasu na uprzejmości.

– Gdzie macie to gówno? – zadał pytanie, choć jego wąskie wargi, wydawało się, w ogóle się nie poruszyły.

– Wieża jest tam, w mieszkaniu – Veronique zniżyła głos do

szeptu – ale nie będziesz mógł jej kupić od ręki. Mamy w tej chwili gościa i on nie wie, co planujemy. Przedstawię was jako wspólnych znajomych moich i Jeana-Pierre'a, dobrze?

Clément sapnął ze złością.

– Naprawdę, wszystko gra, nie musisz się bać. Sam zobaczysz. On sobie zaraz pójdzie, a ty przez ten czas będziesz mógł pobawić się sprzętem – przekonywała Veronique. Clément znał swój fach i był przyzwyczajony, że wokół mieszkań ćpunów zwykle kręci się mnóstwo przypadkowych osób. Wiedział też, że Estelle nie byłaby taka głupia, żeby wystawić go żandarmowi w cywilu. Ostatecznie uznał, że faktycznie tym razem mógłby dla odmiany obejrzeć, co kupuje. Weszli do mieszkania.

– Wujaszku – powiedziała Veronique – to jest moja przyjaciółka Juliette, a to jej chłopak Simon.

Estelle rzuciła jej spojrzenie, pod którym granitowa skała pękłaby jak kreda. Veronique natychmiast pożałowała swojego żartu. Poczuła okropne wyrzuty sumienia, że okłamała wujaszka Thierry'ego i że zabawiła się kosztem Estelle, choć to w ogóle nie było śmieszne. Odczekała, aż wujaszek i Clément odwrócą wzrok w inną stronę, i przeprosiła przyjaciółkę, półgębkiem, ale z całego serca. Estelle przyjęła przeprosiny, wywracając oczy do sufitu i potrząsając głową.

Wujaszek Thierry wciąż przeżuwał swoją kanapkę.

– Veronique, przynieś no jakiego wina albo piwa – szczeknął Clément.

Veronique poszła do kuchni, otworzyła butelkę wina i napełniła trzy kieliszki, a dla wujaszka nalała szklankę wody, bo przypomniała sobie, że zawsze popija swoje kanapki i piwo wodą.

– Simon – zagadnęła Clémenta – nastaw może jakąś muzyczkę?

Clément, który zdążył już zauważyć wieżę, podszedł do niej i włączył zasilanie. Z głośników dało się słyszeć ciepłe pyknięcie. Clément nacisnął „Play". Cisza. W odtwarzaczu wciąż tkwiła płyta „Od fal dźwiękowych do dźwięku" Awangardowego Sofijskiego Oktetu Tarzystów.

– Przerzuć na drugi kawałek – powiedziała Veronique. – Na początku jest bardzo cicho.

Clément wykonał polecenie i usiadł po turecku na podłodze. Po chwili pokój wypełnił się niemelodyjnym szumem.

Wujaszek Thierry rozkasłał się, a kiedy przestał, zabrał się z powrotem za swoją kanapkę, którą prawie już skończył. To była ostatnia z tych, które przyniósł ze sobą. Wszyscy milczeli.

W końcu wujaszek Thierry przełknął ostatni kęs. Estelle spojrzała na Veronique z nadzieją, sądząc widocznie, że wujaszek zbiera się już do wyjścia, ale on jeszcze raz sięgnął do plastikowego pudełka. Wyjął jabłko. W całym tym zamieszaniu Veronique kompletnie zapomniała o jabłku. Wujaszek zapatrzył się przez chwilę na owoc, a potem zaczął jeść. Bardzo, bardzo powoli. Odgryzał wielkie kęsy, ale każdy z nich przeżuwał pracowicie, jakby to nie było jabłko, ale gruby, krwisty befsztyk. Utwór numer dwa dobiegł końca i rozpoczął się utwór numer trzy. Wujaszek Thierry jadł swoje jabłko, a Veronique, Estelle i Clément siedzieli dookoła w milczeniu.

– Hej – odezwała się po chwili Estelle, wychwyciwszy zagubioną melodię z mrocznej otchłani pejzażu dźwiękowego. – Grają twoją piosenkę.

Tym razem jednak Veronique nie miała specjalnej ochoty na tańce. Muzyka płynęła dalej, a wujaszek Thierry, skończywszy jeść jabłko, wstał. Estelle i Clément dopiero w tej chwili mogli ocenić, jaki jest wysoki.

– Och, naprawdę musi wujaszek już iść? – zapytała Veronique. – Przecież dopiero co wujaszek przyszedł.

Wujaszek Thierry zerknął w dół, na Veronique.

– Dziękuję – powiedział – za piwo i za wodę.

– Bardzo proszę, wujaszku.

Estelle i Clément spodziewali się, że wujaszek skieruje się prosto do drzwi, ale Veronique wiedziała, że zanim wyjdzie, musi upłynąć jeszcze co najmniej pięć długich minut. Wujaszek Thierry z namaszczeniem schował puste pudełko do torby. Torbę przewiesił przez ramię. Potem podniósł skrzynki na gołębie. Szybkością ruchów przypominał lodowiec.

Ze skrzynkami w rękach poszedł do łazienki. Drzwi pozostawił otwarte. Veronique, Estelle i Clément siedzieli w milczeniu, skazani na wysłuchiwanie, jak jego mocz leje się do wody w sedesie. Ściany wibrowały echem tego dźwięku, a im się wydawało, że siedzą tak już co najmniej kilka tygodni. Clément na chwilę zapomniał o swoim rozdrażnieniu, nie mogąc się nadziwić, że człowiek może mieć pęcherz takich rozmiarów. Szybko jednak się zniecierpliwił. Estelle dała mu papierosa, żeby siedział cicho. Zapalił niezdarnie, robiąc dziurę w papierosie, a trzymał go w palcach tak niezgrabnie, jakby to był jego pierwszy w życiu. Do tego zaciągając się i wydmuchując dym, wydawał z siebie, nie wiadomo po co, odgłosy ssania i ciche gwizdnięcia.

Wujaszek Thierry kończył cztery razy. Wreszcie wyłonił się z łazienki, trzymając w rękach swoje skrzynki.

– Veronique – powiedział do dziewczyny, która stanęła przed nim, zadzierając głowę – bądź tak dobra i pozdrów ode mnie Jeana-Pierre'a. Powiedz mu, że wujek Thierry go pozdrawia.

– Nie zapomnę, wujaszku. Miłej drogi powrotnej do domu. – Veronique wspięła się na palce i pocałowała go, a on odwrócił się i wyszedł.

– To był wujaszek Thierry – powiedziała Veronique. Została zignorowana.

– No. – Estelle zagadnęła Clémenta. – Kupujesz czy nie?

– Kupuję. W porządku sprzęcik. Muzyka niespecjalna, co ja mówię! Gówno totalne, ale wszystko brzmi jak należy. Może nawet zostawię to dla siebie, skoro trafiło mi się po okazyjnej cenie – zaśmiał się. Był to jeden z trzech jego dyżurnych tekścików; wygłaszał go zazwyczaj kilka razy dziennie. Pozostałe dwa były równie mało śmieszne. Clément znał też już Estelle na tyle, żeby wiedzieć, że nie będzie się z nim targować. Zabrał się do rozłączania przewodów.

– Znajdźcie mi jakieś torby – zakomenderował. – Nie chcemy chyba, żeby ktoś nas z tym zobaczył.

Posprzątawszy po sobie, ruszyli w stronę drzwi. Veronique już chwytała za klamkę, kiedy Clémentowi wpadła w oko miska Césara.

– Czekaj – rozkazał i okrążył naczynie dwa razy. Na jego twarzy malowało się wielkie skupienie. W końcu zatrzymał się, rozpiął pasek i ściągnął spodnie, a razem z nimi wyblakłe czerwone majtki w cętki, które miał pod spodem. Ustawiwszy się starannie, kucnął; jego zad zawisł dokładnie nad samą miską. Veronique i Estelle mogły obejrzeć sobie ze wszystkimi szczegółami cienkie przyrodzenie Clémenta, obciągnięte czerwonawą, wysuszoną skórą, jak policzki polarnika. Ogólny widok przywodził na myśl ogryzek ołówka. W głębi kołysał się obwisły, szarawy worek mosznowy.

– Clément, słuchaj... – odezwała się Veronique. – Wybacz, że pytam, ale co ty właściwie robisz?

Clément cisnął ze wszystkich sił.

– Jak to: co ja robię? Nie widać? Sram psu do miski.

– Tak właśnie myślałam. A w jakim celu, można wiedzieć?

Spojrzał na nią jak na idiotkę.

– Niczego cię nie nauczyli w szkole? – zapytał szyderczym tonem. – Tacy jak ja właśnie tak robią.

Dla Clémenta ta czynność była częścią codziennej rutyny zawodowej, czymś tak zwyczajnym, że nawet się nad tym nie namyślił. Ale ponieważ jego kiszki pracowały dziś troszkę mniej sprawnie niż zazwyczaj, wykorzystał ten czas, żeby wyłuszczyć Veronique, o co chodzi. Zaczął perorować tonem belfra pouczającego wyjątkowo mało rozgarniętego ucznia:

– Jak w jakimś niewłaściwym miejscu będzie nasrane, to wtedy wszyscy uwierzą, że to był prawdziwy włam. A klient nie będzie o nic podejrzewał swoich tak zwanych przyjaciół, jeśli znajdzie na środku mieszkania ludzką kupę. – Mówiąc to, zrobił minę wprost nie do opisania. – Sama pomyśl: kto by mógł wykręcić aż taki numer kumplowi? – Wykrzywił twarz w straszliwym uśmiechu. – Niech to będzie... uuch... – natężył się – ...wliczone w usługę.

– Nigdy w życiu nie widziałam niczego ohydniejszego – oświadczyła Veronique.

– Nikt cię nie prosi, żebyś się przyglądała. A tak w ogóle... – zapowietrzył się Clément – ...to robię ci przysługę. O w mordę, ależ dzisiaj ciężko idzie. To pewnie ten wczorajszy obiad. Sukinsyn rzeźnik sprzedał mi angielską wołowinę.

– Niemożliwe – sprzeciwiła się Estelle, której w najmniejszym stopniu nie zaskoczyły metody pracy Clémenta. – Gdybyś zjadł angielską wołowinę, to już byś nie żył.

– Pewnie masz rację. – Twarz pasera spurpurowiała. – Uwaga, nadchodzi... Podajcie mi jakiś papier, już jest na zakręcie... Już za chwileczkę, już za momencik... – Od wina, które wypił, zakręciło mu się w głowie. Szarpnął się, wymachując w powietrzu zaciśniętymi pięściami. Veronique, choć niechętnie, musiała przyznać w duchu, że zmysł równowagi Clément ma rozwinięty nad podziw.

– Wiesz co, nie rób tego – powiedziała Estelle. – Nie myśl sobie tylko, że nie potrafimy docenić fachowej pomocy, bo potrafimy. Ale dzisiaj jest kiepski dzień na takie rzeczy.

Clément opuścił pięści wzniesione w triumfalnym geście i potrząsnął głową.

– Dobra, ale jak was złapią, to żeby potem nie było na mnie. W każdym razie muszę do klopa, bo już nie wytrzymam. – Nie zadał sobie trudu, żeby podciągnąć spodnie, więc podreptał do łazienki drobnymi kroczkami, świecąc gołymi, cętkowanymi pośladkami, zaciśniętymi z całej siły. Drzwi zamknąć już nie zdążył. Nastąpiła salwa stęknięć, mlaśnięć i pluśnięć, aż w końcu dał się słyszeć odgłos spuszczanej wody.

– Dziwny typ – szepnęła Veronique.

– Fakt – odszepnęła Estelle. – Ale czasami się przydaje.

– Miałaś rację. Włosy ma straszne – powiedziała Veronique.

Obie wzdrygnęły się na myśl o włosach Clémenta.

Nie zamknęli drzwi na klucz, żeby stworzyć chociaż pozory prawdziwego włamania w celach rabunkowych. Zrzucili towar na siedzenie pasażera w samochodzie Clémenta. Paser odjechał, a one skierowały się na piechotę do stacji metra. Estelle wetknęła pieniądze do kieszeni kurtki Veronique.

– No i ile dostałyśmy?

– Cztery tysiące pięćset.

– Aj – skrzywiła się Veronique. Ta wieża była warta dobrze ponad dwa razy tyle, nawet używana. Przez dalszą drogę nie mówiły już nic.

Na peronie metra Veronique znów się skrzywiła i znów powiedziała „aj". Przypomniała sobie, że w odtwarzaczu CD została płyta „Od fal dźwiękowych do dźwięku" nagrana przez Awangardowy Sofijski Oktet Tarzystów.

Rozdział ósmy

Veronique była bardzo zadowolona, że jest już w domu i ma w kieszeni nieco grosza. Uzyskana suma, miała nadzieję, wystarczy, żeby oddać samochód do jakiegoś warsztatu. A po naprawie wozu będzie można zapomnieć o wypadku i zacząć układać sobie życie bez Jeana-Pierre'a. César szalał z uciechy na widok pani. Veronique przytuliła go mocno.

– Och, César – westchnęła. – W co ja się wpakowałam?

Poszła razem z psem do kuchni i wyjęła małą torebkę orzechów nerkowca. Zjedli je na spółkę. Veronique ucałowała bernardyna w łeb.

– Chcę, żebyś coś wiedział – powiedziała. – Wiem, że ostatnio dopuściłam się strasznych czynów, mam na myśli zabójstwo księżnej Walii i kradzież wieży Jeana-Pierre'a. Ale musisz wiedzieć, że ty nie ponosisz za to żadnej winy. To wszystko przeze mnie, więc żebyś nie miał wyrzutów sumienia. Rozumiesz? – César pomachał ogonem. – Tak mi przykro, że cię w to wplątałam.

Wyszli na dwór. Veronique przyglądała się, jak jej pies chodzi dookoła trawnika z nosem przy ziemi. César przypominał jej wujaszka Thierry'ego. Obu ich kochała, chociaż i jeden, i drugi prezentowali ten typ, co do którego nigdy nie można mieć pewności, jakim torem biegną jego myśli. Łączyło ich także to, że obaj nie przystawali rozmiarami do otoczenia i obaj byli niewiarygodnie wprost sympatyczni. W oczach Veronique różniła ich tylko jedna rzecz, za to zupełnie fundamentalna: César był szczęśliwy, a wujaszek Thierry nie. Nie miała co do tego żadnych wątpliwości. Wujaszek Thierry był bardzo nieszczęśliwym człowiekiem.

Jej pierwsze spotkanie z wujaszkiem Thierrym miało miejsce niedługo po tym, jak poznała Jeana-Pierre'a. Było wczesne popołudnie. Veronique leżała naga na łóżku w sypialni Jeana-Pierre'a i całowała go, nie otwierając oczu. Nagle ktoś otworzył okiennice. Veronique, zbyt zaskoczona, żeby wrzasnąć, zaczęła w panicznym pośpiechu szukać czegoś, czym mogłaby się przykryć. Widząc to, Jean-Pierre pochylił się do niej i szepnął:

– Nie bój się. To tylko wujaszek Thierry.

Zaskoczyła ją niespodziewana czułość w jego słowach. Uspokoiło ją to zupełnie, jakby to była najzwyklejsza rzecz pod słońcem, że do czyjegoś pokoju zakrada się bezszelestnie mężczyzna równy wzrostem Mont Blanc i bez ostrzeżenia otwiera okiennice.

Jean-Pierre szybko naciągnął na siebie parę spodni i koszulę, a Veronique znalazła wreszcie kołdrę i owinęła się w nią. Przyglądała się, jak Jean-Pierre, nie mówiąc ani słowa, podchodzi do wujaszka Thierry'ego zapatrzonego w dal. Stali tak przez kilka chwil, a potem starszy pan podniósł swoje skrzynki i ustawił je na parapecie. Zerknął na zegarek, zapisał czas w papierowym bloczku i uniósł druciane kratki. Nic. Postukał potężnymi knykciami w wierzch jednej skrzynki. Veronique aż podskoczyła, kiedy ze środka wypadł gołąb, bo jakoś zupełnie nie przyszło jej to do głowy. Wujaszek stuknął olbrzymim knykciem w drugą skrzynkę i tym razem Veronique była już nieco mniej zaskoczona, widząc wylatującego gołębia. Kiedy ptaki zniknęły z oczu, wujaszek Thierry odwrócił się od okna.

– To jest Veronique – powiedział Jean-Pierre, pokazując na nią palcem. – Moja nowa dziewczyna.

– Dzień dobry – powiedziała Veronique, machając słabiutko jedną ręką, którą udało jej się wygrzebać z zawojów kołdry. To był pierwszy raz, kiedy Jean-Pierre powiedział o niej „moja dziewczyna".

Wujaszek Thierry przyglądał się jej przez chwilę. Jego oczy miały melancholijny wyraz, który, choć widziała tego człowieka pierwszy raz w życiu, momentalnie skojarzył jej się z jej psem. Wujaszek odezwał się cichym i uprzejmym głosem:

– Dzień dobry, Veronique.

– Wracam za chwilę – rzucił jej Jean-Pierre i obaj panowie wyszli. Veronique czekała i czekała, aż w końcu jej uszu dobiegł hałas, który wujaszek robił w łazience, kończony cztery razy, a potem jakieś mamrotane pod nosem przekleństwa, po których usłyszała szczęk zamykanych drzwi.

– To był wujaszek Thierry – poinformował Veronique Jean-Pierre, wchodząc do sypialni i biorąc ją w objęcia, wciąż jeszcze ciasno opatuloną kołdrą.

– Wiem, przedstawiłeś nas sobie. Posłuchaj, może nie powinnam o to pytać, ale z jakiej racji on nas podglądał?

– Wcale nas nie podglądał, nie bój się. Dla niego moglibyśmy sobie w tym łóżku patroszyć ryby.

Jean-Pierre wprost promieniował ciepłem; takiego Veronique go jeszcze nigdy nie widziała.

– Pewnie go bardzo kochasz – powiedziała, całując go.

– Bardzo – zgodził się. – Ty też go pokochasz, kiedy go lepiej poznasz.

Veronique czuła, że już zaczyna w niej kiełkować sympatia do wujaszka Thierry'ego.

– Czy on mieszka gdzieś w okolicy?

– Nie. Żyje na wsi, niedaleko Limoges. Stamtąd pochodzi rodzina mojego ojca.

– A na jak długo przyjechał do Paryża?

– Tylko na tak długo, żeby mieć czas wypuścić gołębie, wypić piwo, zjeść kanapki, potem jabłko, popić to wszystko wodą i pójść do łazienki. W tej chwili pewnie już wyjeżdża z miasta. Zawsze się boi, że gołębie go prześcigną i będą w domu pierwsze.

– Jean-Pierre – zaproponowała Veronique, rozpinając mu spodnie – opowiesz mi o swoim wujku? Możesz zacząć, jak skończymy.

Po raz pierwszy Jean-Pierre nie zapalił ani jednego papierosa.

Jak się okazało, mieszkanie, które zajmował Jean-Pierre, było własnością jego rodziców, ale syn nie płacił ani grosza za czynsz. Chociaż rodzice byli po rozwodzie, to między nimi układało się nie najgorzej, a ponieważ żadnemu z nich nie chciało się załatwiać tysiąca formalności związanych ze sprzedażą mieszkania, pozwalali Jeanowi-Pierre'owi je zajmować, pod warunkiem że dba o jaki taki porządek, płaci rachunki i nie sprzeciwia się temu, że wujaszek Thierry ma własny klucz i może wchodzić do jego sypialni, kiedy mu się podoba. Wizyty były raz częstsze, raz rzadsze, w zależności od pory roku, warunków atmosferycznych i konieczności wymiany ptaków. Zwykle jednak wujaszek wpadał co dwa lub trzy tygodnie, najczęściej za dnia, bo lubił stać w oknie i odprowadzać wzrokiem gołębie odlatujące do domu. Jeanowi-Pierre'owi odpowiadał ten układ i chętnie przyjmował u siebie swojego wujka.

Wujaszek Thierry, jak później wytłumaczył Veronique Jean-Pierre, znosząc cierpliwie jej pieszczoty polegające na robieniu mu paznokciem dołka w brodzie, który potem pracowicie rozmasowywała, był młodszym bratem jego ojca. W latach młodzieńczych uważano go za bardzo przystojnego, ceniono jego poczucie humoru, cieszył się też powszechną sympatią. Kiedy miał dwadzieścia lat, zakochał się w pięknej dziewczynie z tej samej wioski. Nazywała się Madeleine i miała szesnaście lat, a wszystko zdawało się dowodzić, że kochała go równie mocno, jak on kochał ją. Jakież zatem było jego niedowierzanie, kiedy doszły go słuchy, że Madeleine widziano przez okno w namiętnym uścisku niskiego, łysiejącego mężczyzny, który przyjechał do ich wioski w interesach z miasta Lyon. Wujaszek Thierry zapytał ukochaną wprost, czy to prawda. Madeleine przyznała się do wszystkiego. Powiedziała, że strasznie żałuje, ale tak naprawdę wcale go nie kocha, sama nie wie dlaczego, skoro jest wysoki, przystojny i taki wesoły, a jej znajomi i rodzina bardzo ciepło się o nim wyrażają. Jednak, jak mu wyznała, nie może wyprzeć się tego, że zakochała się w innym mężczyźnie – tym dziwnym małym faceciku z Lyonu.

– Widziałaś mojego wujaszka na własne oczy – powiedział Jean-Pierre Veronique – więc wiesz, że jest potężnie zbudowany. Tamta dziewczyna, Madeleine, znała go i wiedziała, że jest łagodny, ale nigdy dotąd nie widziała go w złym nastroju i przestraszyła się, że może zrobić jej krzywdę, bo sama była bardzo drobna. Ale wujaszek Thierry nigdy w życiu nikogo nie skrzywdził. Mój ojciec dowiedział się potem od kogoś z rodziny Madeleine, że wujaszek powiedział jej tak: „Wybaczam ci wszystko, ale mam do ciebie jedną prośbę. Kiedy wyjdziesz za tamtego człowieka, proszę cię, wyjedź z nim do Lyonu i zamieszkaj tam. Nie mógłbym patrzeć, jak spacerujesz po naszej wiosce z dziećmi, które nie są moje".

– Madeleine zgodziła się spełnić jego życzenie i w cztery miesiące później wyszła za tamtego człowieka. Przeprowadziła się do

Lyonu, by żyć z dala od wujaszka Thierry'ego. Kiedy odwiedzała rodzinną miejscowość, przyjeżdżali z mężem późno w nocy i w ogóle nie wychodzili z domu, co najwyżej do ogrodu na tyłach, tam, gdzie nie mogły ich zobaczyć jego smutne, ciemne oczy.

– Biedny wujaszek – powiedziała Veronique.

– Biedny. Bardzo źle to zniósł.

– A co było potem?

Jean-Pierre opowiedział jej o tym, jak wujaszek Thierry od razu po tamtej rozmowie z Madeleine wybrał się do miejscowego handlarza gołębiami. Kupił od niego dwa ptaki i zaniósł je do domu w klatce. Przez całą noc i pół następnego dnia budował dla nich gołębnik. Ptaki spędziły w nim kilka tygodni, aż w końcu wujaszek załadował je do skrzynek i zawiózł do Paryża. Tam odwiedził rodziców Jeana-Pierre'a, którzy mieszkali wtedy razem w tym samym mieszkaniu, co później ich syn i cichym głosem zapytał, czy nie pozwoliliby mu wypuścić gołębi z okna ich sypialni. Oni nie mieli nic przeciwko temu. Wkrótce wujaszek Thierry odwiedził ich znowu i poprosił o to samo. A potem pewnego razu zdarzyło się, że rodzice Jeana-Pierre'a wybrali się do teatru i po powrocie zastali przed swoim domem wujaszka czekającego na nich w samochodzie. Wtedy dali mu klucze do mieszkania i powiedzieli, żeby przychodził do nich, kiedy zechce. Nie mogli się spodziewać, że odtąd będzie się pojawiał bez uprzedzenia, a po wejściu do mieszkania pierwsze kroki będzie kierował wprost do sypialni, bez względu na to, czy ktoś wyjdzie go powitać, czy nie. Nie mieli jednak serca, żeby zwrócić mu uwagę.

– Ojciec zapytał go raz, skąd wzięła się u niego ta fascynacja gołębiami – powiedział Jean-Pierre. – Chciał się tylko dowiedzieć, dlaczego padło akurat na hodowlę gołębi, a nie na piwowarstwo albo uprawę warzyw-olbrzymów, ale wujaszek Thierry zrozumiał go całkiem na opak. Odpowiedział mu tak: „Potrzebuję mieć umysł zajęty czymś bez przerwy. W momencie, kiedy wypuszczam gołębie, zaczynam wyobrażać sobie ich lot do domu, a kiedy już przylecą, przygotowuję je do następnego lotu i na tym koncentruję się bez reszty. Bardzo cię proszę, nie pytaj mnie o to już nigdy więcej. Pozwól mi tylko robić to, co robię". I w ten właśnie sposób wujaszek Thierry, który kiedyś był taki dowcipny, inteligentny i szczęśliwy, od tego czasu nie zajmuje się już niczym innym, tylko puszcza swoje gołębie wciąż z tego samego okna, a potem wraca do domu, siada i patrzy w niebo, a kiedy ptaki wrócą, przygotowuje je, żeby z powrotem pojechać z nimi do Paryża i powtórzyć wszystko od początku. Kiedy zjawia się tutaj, zagaduję go, z czym ma kanapki albo jak minęła mu droga. Czasami coś mi odpowie. Pytam go też, czy gołębie dobrze się chowają, a on czasem w kilku słowach opowiada mi, że trochę chorują, jak długo ostatnim razem leciały do domu albo że jeden kiedyś w ogóle nie doleciał. Wiem, że on nie chce rozmawiać o niczym innym i nie naciskam go, bo nawet taka gadka szmatka sprawia mu wielką trudność.

– Czy on interesuje się czymkolwiek poza swoimi gołębiami?

– Na Gwiazdkę i na urodziny dajemy mu jakąś łamigłówkę, farby olejne albo coś w tym stylu, ale i tak wiadomo, że rzuci je gdzieś w kąt i nawet nie weźmie drugi raz do ręki.

– Biedny wujaszek.

– Biedny wujaszek.

– I biedna Madeleine.

– Jak to: biedna Madeleine?

– A jak ty byś się czuł, musząc żyć ze świadomością, że swoim zachowaniem zniszczyłeś komuś życie?

– Przecież nikt jej nie kazał wychodzić za tamtego.

– To była jeszcze młoda dziewczyna. Nie potrafisz jej wybaczyć?

– Trudno mi, kiedy widzę to, co zrobiła wujaszkowi Thierry'emu.

– A przecież on jej wybaczył.

– Wiem, ale on jest taki wspaniały, że nie potrafił postąpić inaczej. Poza tym bardzo ją kochał, więc czy mógł jej nie wybaczyć? Chociaż właściwie masz chyba trochę racji: to była jeszcze młoda dziewczyna.

– Wiesz, co się z nią później stało?

– Jej małżeństwo z tym facecikiem z Lyonu trwało krótko. Madeleine żałowała, że zdecydowała się na nie. Rozwiedli się i nie mieli dzieci. Wujaszkowi Thierry'emu nikt o niczym nie powiedział. Potem ona jeszcze raz wyszła za mąż, za jakiegoś wielkiego bogacza. Była niesamowicie piękna, widziałem ją na zdjęciu, no i wciąż jeszcze młoda. O tym drugim ślubie też nikt wujaszkowi nie powiedział. Sześć lat temu zginęła w wypadku samochodowym. Wujaszek znów nie dowiedział się o niczym.

– Biedny wujaszek – powiedziała Veronique.

– Tak – zgodził się Jean-Pierre. – Biedny wujaszek.

– Chodź tu! – zawołała do psa. César posłusznie podbiegł do niej. – Będzie mi brakować wujaszka – powiedziała Veronique.

Zrywając z Jeanem-Pierre'em, nie pomyślała o wielu rzeczach, między innymi o wujaszku Thierrym, a decyzja o rozstaniu, chociaż przecież wcale taka nie była, powoli zaczynała wyglądać na nieprzemyślaną. Veronique zaczęło się wydawać, że w ogóle nie wzięła pod uwagę wszystkich dobrych stron ich związku, że myślała tylko o wieczorach, kiedy zamiast dokądś wyjść, bawić się, cieszyć życiem, oni siedzieli kołkiem w domu, uwalali się i słuchali nudnej muzyki. Że w głowie miała tylko niekończące się monologi na temat planów, które nigdy nie miały dojść do skutku. Że dźwięk jego głosu, dotyk jego skóry, kolor jego włosów przestały w niej budzić jakiekolwiek emocje. A przecież kiedy przychodził wujaszek Thierry, Jean-Pierre stawał się kompletnie innym człowiekiem i ta przemiana potrafiła trwać kilka godzin, a czasem nawet kilka dni. Tamtą miskę z imieniem Veronique i César także dostali od niego niedługo po wizycie wujaszka. Ten blask odmiany zawsze w końcu przygasał i Jean-Pierre powracał do swojego zwykłego ja, wiecznie nawalonego i zupełnie niezaradnego życiowo, ale faktem było, że gdyby wujaszek Thierry odwiedził bratanka tego dnia, kiedy ten puścił Veronique płytę „Od fal dźwiękowych do dźwięku", to w żadnym wypadku by z nim wtedy nie zerwała, a co za tym idzie, nie znalazłaby się w tamtym tunelu. Spędziłaby ten wieczór przytulona ciasno do Jeana-Pierre'a, słuchając z wdzięcznym zainteresowaniem tego całego badziewia, które on miałby ochotę zapuścić dla niej na swojej małej ale drogiej wieży.

Bo Veronique, odkąd poznała wujaszka Thierry'ego, zawsze chciała opowiedzieć ludziom o jego gołębiach, o jego kanapkach i o tym, jaki cudowny z niego człowiek, ale nigdy nie udało jej się znaleźć słów, które oddałyby mu sprawiedliwość. Nie powiedziała więc o nim nawet rodzinie ani najbliższym przyjaciołom. Nie mówiła o nim nikomu, bo bała się, że w jej opowieści wujaszek Thierry wyjdzie tylko na zdziwaczałego starszego pana. Nigdy też nie zrobiła mu zdjęcia, chociaż miała na to ochotę za każdym razem, kiedy przyglądała się, jak wypuszcza swoje gołębie. Marzyła o tym, żeby pojechać z nim do jego wioski niedaleko Limoges i zrobić mu zdjęcie, jak patrzy w niebo, serię zdjęć, na których miała nadzieję uchwycić wyjątkowość tego człowieka i jego bezbrzeżny smutek. Nigdy jednak nie mogła zdobyć się na to, żeby go o to poprosić, a teraz było już za późno, żeby w ogóle myśleć o czymś podobnym.

Rozdział dziewiąty

Veronique postanowiła sobie, że w pracy nie wspomni ani słowem o tym, że podczas weekendu zabiła księżną Dianę. Trenowała niewspominanie na porannym spacerze z Césarem i przez całą drogę do biura, zarówno na ulicy, jak i w metrze. Zdecydowała, że najlepszą strategią będzie w ogóle się nie odzywać, żeby fatalne wyznanie nie wypsnęło się jej przypadkiem, tak jak wtedy, gdy chcąc dyskretnie odchrząknąć w restauracji, wykaszlała ostrygę na sam środek półmiska z serami.

Po przyjściu do pracy usiadła przy biurku, włączyła komputer i przyglądała się swojemu odbiciu w monitorze, które raz pojawiało się, raz nikło, zależnie od tego, jak zmieniały się kolory obrazu. Im dłużej na siebie patrzyła, tym bardziej utwierdzała się w przekonaniu, że już na pierwszy rzut oka można poznać, że ma coś na sumieniu. Spróbowała rozluźnić mięśnie twarzy, ale to tylko pogorszyło całą sprawę, więc przestała w ogóle patrzeć na swoje odbicie, starając się myśleć o czymś innym.

Ponieważ na monotonię pracy biurowej Veronique stosowała nieodmiennie jedną i tę samą metodę, która polegała na gadaniu o czymkolwiek z kimkolwiek, kto dał się wciągnąć w rozmowę, już po chwili jej milczenie zaczęło zwracać uwagę, szczególnie zaś uwagę Françoise, kobiety, która zajmowała biurko obok Veronique i bez problemu wygrałaby każdy konkurs na najgorzej ubraną paryżankę. Veronique nie raz i nie dwa zachodziła w głowę, gdzie Françoise kupuje te swoje seledynowe bluzki z falującej tkaniny, przystrojone na ramionach ogromnymi kokardami w kolorze lila, te spodnie z drukowanego, truskawkowoczerwonego materiału, które zawsze wyglądały tak, jakby były założone tyłem naprzód, albo te pantofle z pomponami czy paski szerokości dłoni, wypstrokacone obrazeczkami pluszowych misiów. Takich ciuchów nikt nie widział nigdy i nigdzie – można je było podziwiać wyłącznie na Françoise. Veronique za nic nie chciała dopuścić do siebie myśli, że gdzieś na świecie, a już nie daj Boże w Paryżu, działa sklep, w którym mają czelność sprzedawać coś takiego. A teraz czuła na sobie świdrujące spojrzenie Françoise i wiedziała, że tylko patrzeć, jak tamta się odezwie.

– Jakoś dziś tak cicho siedzisz. – Głos Françoise zabrzmiał fałszywą troską.

Veronique nawet w dobre dni nie przepadała za rozmową z tą kobietą, a dziś tym bardziej przeklinała ją za to, że musi siedzieć tak blisko. Nie miała wyjścia, musiała odpowiedzieć.

– Jeszcze trochę mi słabo. Wczoraj, wiesz...

– Ach, prawda. Wczoraj. Pamiętam. Sensacje żołądkowe. Nie do zniesienia. Wszyscy tak bardzo się o ciebie martwiliśmy.

Veronique zastanowiła się przelotnie, czy Françoise w ogóle potrafi być miła dla ludzi.

– Zupełnie niepotrzebnie – powiedziała, starając się znieść jej słowa z wyniosłą obojętnością. – Zwykłe schorzenie. Jeszcze dzień albo dwa i poczuję się lepiej.

– A w ogóle coś robiłaś w ten weekend? – zapytała Françoise, najwyraźniej przekonana, że wczorajsza nieobecność Veronique w pracy musiała być spowodowana jakimiś dzikimi ekscesami. Widać było po niej, że nie da za wygraną, dopóki nie dowie się wszystkiego.

– Właściwie to nie.

– Coś przecież musiałaś robić. – Françoise przymrużyła oczy jeszcze bardziej niż zazwyczaj. – Wszyscy coś robią w weekend.

– Nie miałam zbyt wiele do roboty.

– I co, tak sobie siedziałaś w domu?

– Mniej więcej tak to wyglądało. Wyszłam kilka razy z Césarem, ale głównie siedziałam w domu. A potem się rozchorowałam.

– I żadnych zdjęć też nie robiłaś?

– Nie. – Veronique najeżyła się. Nie znosiła rozmawiać w pracy o swoich zdjęciach. Żałowała, że w ogóle powiedziała o tym kolegom. I koleżankom. Każda chwila spędzona w biurze mogła być poświęcona wędrówkom z aparatem. Nie lubiła przypominać sobie o tym, a szczególnie nie lubiła, kiedy przypominali jej o tym koledzy z pracy, którzy co do jednego – i dotyczyło to nawet tych, z którymi Veronique układało się całkiem znośnie – prezentowali pogląd, że każdy głupi potrafi robić zdjęcia, trzeba tylko pamiętać, żeby ustawić się tyłem do słońca i już; wystarczy wycelować obiektyw i nacisnąć guzik. Po swojej pierwszej wystawie Veronique myślała, że złapała Pana Boga za nogi i że odtąd będzie zarabiać na życie robieniem zdjęć. Jednak pomimo pochlebnych recenzji zlecenia napływały zbyt wolno, a niskonakładowe magazyny, które składały zamówienia, całymi miesiącami przeciągały płatności. Tak więc kiedy w końcu pieniądze przychodziły, Veronique wydawała wszystko co do grosza na akcesoria typu klisze, papier i baterie. Mogła mówić o szczęściu, jeśli w ogólnym rozliczeniu wyszła na zero. A ponieważ pieniądze były jej pilnie potrzebne, poszła do pracy. Z każdej wypłaty ponad połowę oddawała rodzicom, którzy niedawno uznali, że przyszedł już czas, aby zaczęła spłacać im forsę, którą wydali na te wszystkie kosztowne interwencje, kiedy ratowali ją z tarapatów, pomagając regulować rachunki z jędzowatymi właścicielkami wynajmowanych mieszkań, rozentuzjazmowanymi weterynarzami i podejrzanymi mechanikami samochodowymi. W czasie trwania związku z Jeanem-Pierre'em Veronique robiła o wiele mniej zdjęć niż zazwyczaj i sprzedała tylko sześć niewielkich materiałów. Próbowała wmówić sobie, że to wszystko jego wina, że to on zaraził ją swoją niezaradnością, ale jakoś nie potrafiła się do tego przekonać. Wiedziała, że sama jest za to odpowiedzialna.

– I tak tylko wychodziłaś z psem na spacer? – Françoise potrząsnęła głową. – W tym wieku można spędzić weekend w o wiele ciekawszy sposób. Gdybym ja miała twoje lata, szalałabym po knajpach i zabawiała się z chłopcami. – Veronique nie potrafiła sobie wyobrazić Françoise w jej wieku ani tym bardziej zabawiającej się z chłopcami. – I ze swoim Jeanem-Pierre'em też się nie widziałaś?

– Rozstaliśmy się. – Veronique obiecywała sobie, że nie wspomni o tym w pracy, że nic nikomu do tego, ale wyczerpał ją ten krzyżowy ogień pytań ze strony Françoise. A ponieważ zerwanie z Jeanem-Pierre'em nie było na szczycie listy rzeczy-o-których-w-pracy-ani-słowem, na atak z tej strony była przygotowana nieco gorzej. – Proszę bardzo, Françoise. To właśnie zrobiłam w weekend. Zerwałam z moim facetem. Zadowolona?

– Tak. Nawet bardzo – odpowiedziała Françoise, ciesząc się w duchu, że słusznie podejrzewała, że za nieobecnością Veronique w pracy i jej dziwnym nastrojem stało coś więcej niż banalna niedyspozycja żołądkowa. Co prawda chętniej wysłuchałaby wieści o przerwanej ciąży, aresztowaniu czy przedawkowaniu narkotyków, ale i tak poczuła się usatysfakcjonowana. – Dziękuję. Oczywiście strasznie mi ciebie żal, ale przynajmniej jesteś młoda i bez problemu zapoznasz kogoś nowego. Nie to co ja. – Tymi słowami Françoise rozpoczęła dyżurną gadkę na temat swojego rozpadającego się małżeństwa i wiecznych problemów z nadwagą. Veronique słyszała to już ze sto razy i wiedziała, że jest bezpieczna. Pijawa posmakowała krwi (na to przynajmniej wyglądało) i teraz przez jakiś czas powinna dać jej spokój. Veronique przestała słuchać ględzenia Françoise i wyłączyła się. Spróbowała wyobrazić sobie minę koleżanki, gdyby przyznała jej się do wypadku spowodowanego po pijaku i do włamania w celach rabunkowych. Na tę myśl uśmiechnęła się do siebie.

– Czego się śmiejesz? – warknęła Françoise. Veronique dopiero teraz się zorientowała, że jej gadka wciąż trwa. – Tu się nie ma z czego śmiać.

Reszta dnia upłynęła na przekładaniu różnych rzeczy z miejsca na miejsce, bez żadnych widocznych owoców tych wysiłków. Po obiedzie Veronique spostrzegła, że Marie-France, jej roślinka, trochę przywiędła. Poczuła wyrzuty sumienia, że ją zaniedbała. Napełniła do połowy filiżankę do kawy, wróciła z nią do swojego biurka i wlała wodę do doniczki.

– Na zdrowie – powiedziała.

Usiadła za biurkiem, zerkając na fotografię Césara.

– Nie martw się, maluszku – szepnęła. – Mama niedługo do ciebie wróci.

– One cię nie słyszą – odezwała się Françoise, która śledziła każdy ruch Veronique. –Wiesz o tym? Zdjęcia i rośliny doniczkowe nie mają uszu, a ty mówisz do siebie.

Veronique powtórzyła sobie w duchu jeszcze raz to wszystko, o czym myślała w drodze do pracy, i nie odezwała się ani słowem.

– No? – zapytała Françoise.

– Co: no? – bąknęła Veronique pod nosem, nie patrząc w jej stronę.

– Nie zapytasz mnie, co ja robiłam w ten weekend?

Veronique była już zbyt wyczerpana, żeby dłużej stawiać jej opór.

– Co robiłaś w ten weekend, Françoise?

Odpowiedzią był zwykły ohydny uśmieszek i krótkie:

– Nic takiego.

Rozdział dziesiąty

Veronique usilnie szukała w pamięci takich warsztatów samochodowych, gdzie ani razu nie pokłóciła się z mechanikami. Przychodzili jej na myśl cwaniacy i kombinatorzy, którym musiała zrobić awanturę, kiedy próbowali ją naciągnąć przy prostych naprawach (a te złomowate wehikuły, które jeden po drugim zajeździła na śmierć przez ostatnie trzy czy cztery lata, nieustannie wymagały jakichś napraw). Przypominała sobie też przemiłych fachowców, którym zalegała z zapłatą tak długo, że w końcu nie mieli wyjścia i żeby wyciągnąć od niej pieniądze, musieli uciec się do drastycznych środków. Warsztat musiał też znajdować się gdzieś w okolicy, bo Veronique nie chciała jeździć zbyt daleko rozbitym samochodem. Postanowiła więc przejść się z Césarem po najbliższych ulicach, w poszukiwaniu blacharza, który na widok tego, co się stało z jej autem, nie złapie od razu za klucz francuski i nie przegoni jej gdzie pieprz rośnie.

Kilka przecznic od domu Veronique natrafiła na coś obiecującego. Rzadko zapuszczała się w te okolice, bo nie było tam zbyt wielu miejsc, gdzie César mógłby się swobodnie załatwić. Na bramie widniało krzywo wymalowane hasło reklamowe: „Naprawimy Twój samochód, jeśli tylko zechcesz". Na jego widok Veronique poczuła, że trafiła pod właściwy adres. Weszła na placyk, zdecydowana sprawdzić, co uda jej się tutaj wskórać.

W pobliżu nie było widać żywej duszy, więc stanęła na środku, czekając, aż ktoś się pojawi. Umilała sobie czas, poklepując Césara, całując go i raz po raz powtarzając mu, że jest śliczny i grzeczny. Nagle jak spod ziemi wyrósł mężczyzna. Ręce miał zupełnie czarne, a jego twarz pokrywały ciemne pasy smaru przypominające wojskowy kamuflaż. Był ubrany w nieludzko utytłany granatowy kombinezon, a na głowie miał znoszoną i wystrzępioną czerwoną baseballówkę. W kącic jego ust tkwił gruby, usmolony, ręcznie skręcony papieros. Stanął kilka kroków od Veronique i spojrzał gdzieś ogólnie w jej kierunku, nie mówiąc ani słowa.

– Witam pana – powiedziała z miłym uśmiechem.

Mężczyzna milczał, poprawił tylko czapkę, spod której wysunął się kosmyk brudnych blond włosów, opadając na czoło. Veronique uznała, że właśnie taki człowiek nada się najlepiej do roboty, którą trzeba wykonać przy jej samochodzie.

– Piękny dzień dzisiaj mamy – dodała zupełnie szczerze, bo dzień był piękny. Słońce powoli chowało się za drzewami i dachami budynków.

Mężczyzna zaciągnął się papierosem, bardzo długo i bardzo mocno. Spojrzał na Veronique spod przymrużonych powiek.

– Czego pani tu szuka? – mruknął wreszcie, .zezując poprzez dym.

– Chodzi o mój samochód – odpowiedziała.

Mężczyzna zaciągnął się jeszcze raz. Veronique wydawało się, że trwa to kilka minut. Facet musiał mieć ogromne płuca.

– Jaki samochód? – Rozejrzał się dookoła. – Nie widzę tu żadnego samochodu.

Plac był pełen aut, ale Veronique zrozumiała, o co mu chodzi.

– Faktycznie. To dlatego, że został w domu. Przyszłam na piechotę.

Mężczyzna nie posiadał się ze zdumienia.

– Dlaczego nim pani nie przyjechała?

– Bo jest w nie najlepszym stanie. Nie powinno się nim jeździć.

Mężczyzna wydłubał spomiędzy zębów drobinkę tytoniu, zebrał ją z palca językiem i wypluł na ziemię. Skinął głową w głębokim zamyśleniu.

– Rozumiem. Nareszcie wszystko staje się jasne.

– Naprawdę?

– Tak. Samochód się popsuł i przyszła pani tutaj, bo trzeba by go naprawić.

– Zgadza się. – Veronique nie przychodził do głowy inny powód, który mógłby ją skłonić do wizyty w takim miejscu i do rozmowy o niesprawnych samochodach, ale milczała, bo nie chciała się pokłócić z tym facetem.

– To trzeba było tak od razu. – Mężczyzna ponownie poprawił czapkę. – To by nam oszczędziło sporo czasu. – Chciał się znów zaciągnąć, ale papieros mu tymczasem zgasł. Wyjął z kieszeni kombinezonu zapalniczkę i podniósł ją do twarzy, garbiąc się i osłaniając płomień od wiatru. Veronique przestraszyła się nagle, że zaraz zapali się smar, którym był umorusany. – Nie sądzi pani?

– Sądzę – odpowiedziała. – Trzeba było. Całe szczęście, że w końcu się dogadaliśmy. Uff! – westchnęła, udając ulgę.

– No więc dowiem się kiedyś, co jest z tym samochodem, co to o nim słyszę cały czas, czy będzie pani tak stała z pieskiem i nawijała o pogodzie?

– Stało się coś strasznego – powiedziała Veronique. – Budzę się rano, patrzę, a w mój samochód ktoś musiał w nocy wjechać, bo cały tylny róg mam zmiażdżony, światła pobite w drobny mak i w ogóle jedna wielka stłuczka. – Przygryzła wargę. – Pomoże mi pan? Będę panu niewymownie wdzięczna.

– Teraz jestem zajęty – mruknął w odpowiedzi. – Sama pani widzi. – Zaciągnął się jeszcze raz, głęboko, powoli, po czym mówił dalej: – Pani da mi swój adres, to przyjdę i zerknę na ten wóz, jak będę miał chwilę czasu.

Veronique pogrzebała w torebce i wyjęła papierosy. Oderwała kawałek opakowania i zapisała na nim swój adres. Podała papierek mechanikowi, a on zerknął na niego i wsunął do kieszeni. W kilku słowach umówili się na niedzielne popołudnie. Facet miał ocenić uszkodzenia i podać przybliżone koszta naprawy.

– Mogę jednego? – zapytał jeszcze na koniec, wskazując usmolonym palcem porwaną paczkę papierosów, którą Veronique chowała już do torebki.

– Proszę bardzo. – Wyciągnęła paczkę w jego stronę. Wziął jednego papierosa, obwąchał go ze wszystkich stron, jakby to było kubańskie cygaro, a nie jedna z najtańszych marek na rynku, i zatknął za ucho.

– Zostawię sobie na potem – oznajmił, poprawiając czapkę po raz trzeci. Wedle wyliczeń Veronique, podczas tej niedługiej konwersacji czapka zrobiła obrót o pełne trzysta sześćdziesiąt stopni dookoła jego głowy. Facet skrzywił wargi, mierząc klientkę bacznym wzrokiem, a Veronique dopiero wtedy zrozumiała, że wpadła mu w oko i że przez cały ten czas starał się na wszelkie znane sobie sposoby wytworzyć atmosferę konfliktu z podtekstem erotycznym, w nadziei, że prowadzona w tym klimacie rozmowa zakończy się dzikim seksem w jakiejś warsztatowej kanciapie. Nieszczególnie mu to szło, ale ta nieudolność wydała się jej całkiem ujmująca i przez chwilę nawet zaciekawiło ją, czy facet nosi coś pod tym uświnionym kombinezonem czy też nie. – Potem, to znaczy kiedy indziej... – dodał, krzywiąc się jeszcze mocniej i ukazując przy tym szczerbę po brakującej trójce – ...rozumie mnie pani.

– Rozumiem. – Veronique nie miała bladego pojęcia, o co mu chodzi, a widać było jak na dłoni, że on sam też nie bardzo jest w kontakcie z własnym przekazem. Miała to jednak w nosie, bo wreszcie znalazł się ktoś, kto naprawi jej fiacika.

Pociągnęła Césara z powrotem tą samą drogą, którą przyszli, zadowolona, że wszystko tak ładnie się układa.

Zapaliła papierosa, rozważając w myślach swoją obecną sytuację. Była całkiem pewna, że starczy jej pieniędzy na naprawę, a sam samochód będzie gotowy, zanim jej rodzice zdążą wrócić z Beninu. Wyglądało na to, że wszystko ujdzie jej na sucho. O tym, co zaszło tamtej nocy w tunelu, nie wiedział nikt oprócz Estelle i Césara – a to akurat były dwie osoby, którym Veronique mogła całkowicie zaufać. Na bieżąco śledziła komunikaty dotyczące śledztwa i dotąd nie znalazła w nich żadnej wzmianki o tym, że w wypadku brał udział jakiś mały biały samochód.

Zaparzyła sobie kawy, zapaliła kolejnego papierosa, ziewnęła i włączyła telewizor. Jak zwykle ktoś komentował katastrofę. Jakiś dziennikarz najpierw powiedział dwa słowa o samym tunelu i o paparazzich, którzy podobno ścigali samochód wiozący księżną, a potem wspomniał, że w całej Anglii w kwiaciarniach zabrakło kwiatów. Następnie zaś zaczął mówić o odpryskach lakieru znalezionych na miejscu wypadku i o tym, że śledztwo koncentruje się teraz na znalezieniu kierowcy białego samochodu, który prawdopodobnie brał udział w kolizji.

– O żeż cholera – powiedziała Veronique. – O żeż jasna cholera.

Sięgnęła po słuchawkę.

– Cholera – powtarzała raz po raz, słuchając sygnału, który po drugiej stronie drutu budził zapewne świnki morskie. – Jasna cholera.

CZĘŚĆ DRUGA

Rozdział pierwszy

Przestały płakać, kiedy na ekranie pojawił się Elton John.

– Patrz – powiedziała głosem ochrypłym od płaczu Veronique, pokazując palcem na ekran. – Elton John.

Otarły oczy rękawami i przez całą piosenkę siedziały cicho. Kiedy umilkła muzyka, Estelle odwróciła się do Veronique. Była blada z wściekłości.

– Okropne. Obrzydliwe! W życiu nie słyszałam gorszego syfu.

– Wiem, co czujesz – odpowiedziała Veronique. – Nie mógł zagrać „Rocket Mana"? Byłoby lepiej.

– A słyszałaś te słowa na samym końcu? „Żegnaj, Różo Anglii". Jakiej Anglii? To była księżna Walii. A Eltona Johna powinno się posłać na gilotynę. Kiedy wybiorą mnie na prezydenta niepodległej Walii, zabronię mu wstępu do mojego kraju. – Podniosła rękę. – Sorry, Elton, nie ma wjazdu.

Przestały narzekać na Eltona Johna, powracając do oglądania ceremonii pogrzebowej. Wkrótce ich oczy ponownie napełniły się łzami, a kiedy trumna została podniesiona i ruszyła w swoją ostatnią drogę, z kościoła na miejsce wiecznego spoczynku księżnej Walii, Estelle wyłączyła telewizor.

– No – powiedziała. – Dość już tego dobrego. Wracamy do pracy.

Obejrzany w telewizji pogrzeb wprawił je w wybitnie minorowy nastrój. Obie były tego samego zdania: więzienie nie nauczy Veronique niczego nowego, bo przecież zasadniczą nauczkę już dostała i z całą pewnością nigdy więcej nie usiądzie za kierownicą pijana i upalona, skoro potem dzieją się takie rzeczy. Cała ta sytuacja była jakby na wpół tylko rzeczywista; w dalszym ciągu trudno im było połączyć to, co pokazywali w telewizji, z przygodami Veronique w drodze do domu kilka dni wcześniej. Ale czasu na myślenie o tym miały dość – co było, to było. Teraz przede wszystkim należało ratować własną skórę.

Estelle wymyśliła plan. Zaproponowała, żeby rozebrać samochód na części i po trochu poroznosić je po całym Paryżu, wrzucając do ulicznych koszy na śmieci. César miałby uciechę, bo często wychodziłby na spacery w różne odległe rejony miasta, a one za każdym razem zabierałyby ze sobą torbę albo dwie. Z początku pomysł wydawał się doskonały: dowody zbrodni zniknęłyby w sposób dyskretny i bez najmniejszego śladu, porwane przez rzekę śmieci nieprzerwanie płynącą z miasta w kierunku wysypisk. A gdyby policja kiedyś zjawiła się u Veronique, w garażu nie byłoby już małego białego samochodu, więc kto mógłby podejrzewać, że to właśnie ta dziewczyna znalazła się w tamtym fatalnym momencie w tunelu Pont L'Alma? Jednak kiedy już ruszyły z realizacją tego planu, Veronique powoli zaczęła dochodzić do wniosku, że tym razem Estelle nie przemyślała wszystkiego dokładnie. W samochodzie rzeczywiście znajdowało się pod dostatkiem części na tyle małych, żeby bez problemów można je było upchnąć do reklamówki. Praca z początku szła przyjaciółkom jak po maśle: odkręciły korbki do opuszczania okien i gałkę z dźwigni zmiany biegów, wyłamały wycieraczki i zdemontowały lusterko wsteczne. Atlas drogowy uniknął tragicznego losu, tak samo landrynki znalezione w schowku, spożytkowane zgodnie ze swoim przeznaczeniem. Okna zostały wybite młotkami, a boczne lusterka obłamane za pomocą pobijaków; rozbite szkło skrzętnie pozamiatane z podłogi. Zagłówki bez problemu dały się wyjąć. Pasy bezpieczeństwa poszły pod nóż. Problem polegał jednak na tym, że jedynym owocem całej tej pracy było zatrzęsienie większych i mniejszych toreb wypchanych odłamkami plastiku, potłuczonym szkłem, gąbką z siedzeń i temu podobnym śmieciem. Samochód wcale się nie zmniejszył od tego, co z nim zrobiły. Pozostało w nim jeszcze wiele części, których nie było już tak łatwo zdemontować, kierownica albo drzwi, dla przykładu. Pod maską w dalszym ciągu tkwił wielki, ciężki silnik. Nie pomogło też oderwanie emblematu firmowego; w garażu wciąż stał biały fiat uno.

Uzbrojona w klucz nastawny, Estelle zmagała się z demontażem siedzenia dla pasażera. Marnie jej to szło.

– Wiesz co, nie chcę pakować cię w kłopoty – powiedziała Veronique, słysząc gniewne parsknięcie pod adresem jakiegoś upartego sworznia. Spojrzała na przyjaciółkę, która wstała wcześnie rano i pracowała bez wytchnienia, wyjąwszy tylko przerwy na obejrzenie transmisji pogrzebu i wyprawę z Césarem do parku. Mimo to nie powiedziała Veronique ani jednego złego słowa, a nawet z poświęceniem założyła na tę roboczą okazję jakieś okropne łachy: podarte dżinsy i koszulę w osobliwy wzorek. Należała ona podobno do jednego z wysportowanych, lecz niezbyt rozgarniętych kochanków siostry Estelle. Facet był tak mało kojarzący, opowiadała Brigitte, że poszedł do domu z gołą klatą, bo nie spostrzegł się, że zapomniał włożyć koszuli.

– No bo jeśli gliny naprawdę zrobią mi nalot – ciągnęła Veronique – i przyłapią cię tutaj, jak rozbierasz białego fiata na części pierwsze? Pomyślą, że też brałaś udział w wypadku.

Estelle wzruszyła ramionami.

– Jakoś się wykręcę. Mam wprawę.

– Ale tu już nie chodzi o podkradanie ze sklepu ani o sikanie w biały dzień za jabłonką w Ogrodzie Luksemburskim. To jest grubsza sprawa. Nie wystarczy grzecznie przeprosić i zrobić skruszoną minkę. I kara też będzie odpowiednia. Jak mnie złapią, będzie sprawiedliwie, bo zasłużyłam, ale nie chcę, żeby ciebie skazano jako współwinną zdrady korony brytyjskiej. Bo zdaje mi się, że za coś takiego wieszają.

– Nikt cię nie złapie i mnie też nie. Ale żebyś była zadowolona, powiem ci, jak się wykręcę gliniarzom. Jeśli tu przyjdą, zeznam, że poprosiłaś mnie o pomoc w rozebraniu samochodu, a ja, jako twoja przyjaciółka, o nic nie pytałam, tylko pomogłam. Alibi, że mucha nie siada.

– Ale naprawdę, zastanów się: gdyby przyjaciółka poprosiła cię o pomoc w rozebraniu swojego samochodu, to nie zapytałabyś, dlaczego chce go rozebrać? Tak ze zwykłej ciekawości?

– Być może bym zapytała. – Estelle zastanowiła się przez chwilę. – Dobra. Powiem im, że chciałaś rozebrać samochód, żeby przekazać części na cele dobroczynne.

– Jak to: na cele dobroczynne? I po co rozbierać do tego cały samochód?

– Nigdy nie słyszałaś o sponsorowanej rozbiórce pojazdów mechanicznych?

– No... Jakoś nie.

Estelle spojrzała na Veronique z niedowierzaniem.

– Pieniądze z tych akcji zazwyczaj są przeznaczane na pomoc osobom w starszym wieku. Organizuje się je bez przerwy – kiedyś moja sąsiadka zrobiła coś takiego. Dałam jej pięćdziesiąt franków. Cały samochód trzeba rozebrać na części na tyle małe, żeby zmieściły się w niewielkim okienku, takim kuchennym, do podawania talerzy. W każdym domu na przedmieściu jest takie okienko. Jak przyjdą gliniarze, co i tak jest mało prawdopodobne, powiemy im, że to właśnie chciałaś zrobić. Jasne? Wszystko będzie dobrze, musimy tylko zgadzać się w zeznaniach.

– W porządku. – Veronique była zadowolona, że będzie miała historyjkę na wypadek aresztowania. Ciekawe, dlaczego nigdy jeszcze nie słyszała o tych akcjach sponsorowanej rozbiórki pojazdów mechanicznych. Przecież to taka świetna sprawa.

Pracowały jeszcze przez kilka godzin, nie mówiąc zbyt wiele. Wreszcie Veronique wyprostowała zbolałe plecy, spojrzała na swoje czarne ręce, na połamane paznokcie i zarządziła:

– Koniec. Dosyć na dziś. Rzuć to w tej chwili.

Odłożyły narzędzia i krytycznym okiem oceniły postępy w pracy. Wyniki tej inspekcji były nadspodziewanie dobre. Niewyczerpana kolekcja reklamówek mamy Veronique zmniejszyła się o około czterdziestu eksponatów, które teraz stały na podłodze, wypełnione po brzegi. Przyjaciółki zgodnie postanowiły na razie nie przejmować się tym, że samochód dalej wygląda jak samochód, ma rozmiary samochodu, a do tego z daleka widać, że jest biały. Zabrały się do szorowania rąk, planując na ten dzień jeszcze spacer z Césarem, a potem – na pocieszenie za stracony sobotni wieczór, bo przecież nie mogły się nigdzie pokazać – kolację złożoną z pizzy na telefon i piwa bez umiaru.

Veronique przestała rzucać Césarowi okruszki pieczywa czosnkowego, odstawiła opróżnioną do połowy butelkę, piątą z kolei, wstała i oświadczyła:

– Mam to gdzieś. Nie będę się powstrzymywać ani chwili dłużej.

– O co chodzi? Chcesz iść na policję? – zapytała Estelle, trochę zaniepokojona, że może zajść konieczność powstrzymywania Veronique na siłę. Była co prawda raz w życiu na lekcji judo, ale to było dawno temu, poza tym i tak wyszła w połowie, bo zapowiadało się, że szykuje się ciężka praca. Gdyby teraz przyszło co do czego, musiałaby uciec się do środków pośrednich w rodzaju na przykład policzka albo konfiskaty kosmetyków. Estelle znała swoją przyjaciółkę i wiedziała, że Veronique za nic nie odda się w ręce policji nieumalowana, zwłaszcza w sytuacji, kiedy istniały naprawdę spore szanse, że jeśli to zrobi, to jej zdjęcie trafi na pierwsze strony gazet na całym świecie. Mając w ręku jej kosmetyczkę, Estelle mogłaby więc spokojnie przeczekać ten niebezpieczny napad uczciwości.

– Nie chcę iść na policję. Chcę puścić moją ulubioną płytę. Możesz się śmiać, mam to w nosie. Jestem w ciężkim stresie i muszę tego posłuchać.

Podeszła do biblioteczki i wyjęła dwutomowe wydanie historii Świętego Cesarstwa Rzymskiego. Między kartkami tkwiła płyta kompaktowa bez okładki. Veronique włożyła ją do odtwarzacza.

– Nigdy nikomu o tym nie mówiłam – przyznała się. – Oprócz Césara, oczywiście – dodała, tarmosząc ogromne uszy stojącego obok niej psa. – César wie o mnie wszystko. Ale skoro już ci powiedziałam, że zabiłam księżną Walii, możesz równie dobrze poznać wszystkie moje mroczne tajemnice.

Nacisnęła klawisz „Play" i zerknęła na przyjaciółkę, czekając, jakie będą jej wrażenia, ale Estelle patrzyła wprost przed siebie, a jej twarz nie zdradzała niczego. Kiedy jednak piosenka doszła do refrenu, zaśpiewała go razem z płytą.

– Podoba ci się? – zapytała Veronique, zdziwiona tą najwyraźniej przychylną reakcją.

– Czy mi się podoba? To jest zajebiste!

Przyniosły sobie jeszcze po piwku z lodówki i dośpiewały całą piosenkę do końca, wszystkie zwrotki, pomagając sobie wyreżyserowanymi gestami, które każda z nich opracowała sobie kiedyś na własną rękę. Miejscami dawała się zauważyć zadziwiająca zbieżność pomysłów choreograficznych. Przyjaciółki zgodnie doszły do wniosku, że składankowy album „The Roxette Collection: Don't Bore Us – Get To The Chorus!" jest zdecydowanie najlepszą płytą w historii światowej fonografii. Złożyły sobie nawzajem solenną przysięgę, że ta z nich, która pierwsza urodzi córkę, da jej na imię Roxette. Estelle przyznała się nawet, że już od długiego czasu skrycie nosiła się z zamiarem przyznania Perowi Gessle i Marie Fredriksson honorowego obywatelstwa miasta Swansea; ceremonia miała być długa i rozbudowana, ponieważ musiało się w niej znaleźć miejsce dla odegrania na żywo wszystkich przebojów duetu.

Przez kilka utworów muzyka Roxette działała bez zarzutu, pomagając Veronique zapomnieć o jej straszliwym położeniu. Później jednak zaczęły się problemy. Piosenka „Sleeping In My Car" przypomniała jej o tamtej nocy, kiedy starała się zasnąć w samochodzie stojącym pod oknem mieszkania Jeana-Pierre'a, w tym samym białym fiacie, który teraz stał zdewastowany na dole w garażu. Natomiast kiedy zaczął się kawałek „Crash! Boom! Bang!", Veronique wybuchnęła płaczem. Widząc to, Estelle szybko podbiegła do wieży, przełączyła na następną piosenkę i już wkrótce Veronique, cała szczęśliwa, wymachiwała rękami w powietrzu, udając, że gra na bębnach i stuka w klawisze syntezatora. Aż trudno było uwierzyć, że to ta sama osoba, która ma na sumieniu życie księżnej Walii. Kiedy płyta dobiegła końca, obie osunęły się wyczerpane na kanapę.

Estelle włączyła telewizor i znalazła wiadomości. Pomiędzy reportażami z pogrzebu znalazł się też krótki materiał o postępach w śledztwie. Podano, że biały lakier znaleziony na karoserii mercedesa jest badany przez specjalistów w celu ustalenia, jakiej marki było auto, które brało udział w katastrofie. Reporter powiedział, że po udostępnieniu policji wyników tych badań pościg za kierowcą białego samochodu nabierze tempa.

– Super – mruknęła Veronique. – Normalnie już się nie mogę doczekać, aż pościg nabierze tempa.

Nad ranem rozmowa zeszła na nowy tor, którym była szczegółowa analiza życia uczuciowego Estelle, pogmatwanego, jak to u niej. Gdzieś tam snuł się jakiś rzeźnik halal, czyli muzułmański koszer, jakiś perkusista (to akurat było jak najbardziej do przewidzenia), siedemnastoletnia córka peruwiańskiego armatora-milionera, niepokorne dziewczę raz po raz popadające w konflikt z prawem, a oprócz tego to co zwykle, czyli stada facetów wypisujących do Estelle kilometrowe elaboraty, w których oferowali jej szansę rozpoczęcia nowego życia. Listy tej treści miały zwyczaj przychodzić mniej więcej raz na dwa tygodnie, a ich autorami najczęściej okazywali się niegdysiejsi znajomi, sąsiedzi lub koledzy ze szkoły. W przeszłości szaleńczo, choć skrycie, zakochani w Estelle, po dziś dzień nie mogli przestać o niej myśleć, a w swoich listach prześcigali się w opisach szczęścia i beztroski, czekających wybrankę u ich boku. Każdy z nich widział w niej istotę dążącą do samozagłady, a nowe życie, które jej proponowali, zawsze miało toczyć się gdzieś na wsi, w otoczonym murem domku z warzywnikiem. Roztaczana przez nich wizja obowiązkowo obejmowała także dużego, przyjacielskiego psa; nieodmiennie wybór padał na posokowca. Estelle nigdy nie zdołała do końca zgłębić, dlaczego akurat ta rasa cieszy się taką estymą wśród jej admiratorów. Od dawna już nie odpisywała na epistoły swoich niedoszłych rycerzy-wybawicieli, a ich listy chowała pod łóżkiem, w blaszanym pudełku po ciasteczkach.

Nagle Veronique olśniło i zrozumiała jedną rzecz.

– Ta sponsorowana rozbiórka pojazdów mechanicznych... Nie ma czegoś takiego, prawda?

– Prawda – przyznała Estelle. – Nie ma.

– No i dobrze. Przynajmniej o tym wiem.

Trudy tego dnia porządnie wymęczyły całą trójkę. Każde z nich zasnęło tam, gdzie leżało.

Rozdział drugi

Estelle wróciła do siebie późnym rankiem następnego dnia. Veronique włączyła radio, żeby sprawdzić, czy pościg za nią i jej małym białym samochodem nabrał już tempa, czy nie. Okazało się, że akcja rzeczywiście się rozkręca. W radiu podali, że naukowcy, policja i specjaliści z branży motoryzacyjnej pracowali przez okrągłą dobę, a po przeprowadzeniu serii rygorystycznych testów metodą eliminacji otrzymali wynik: odpryski lakieru znalezione na miejscu katastrofy prawie na pewno pochodziły z białego fiata uno wyprodukowanego pomiędzy rokiem 1983 a 1987. Veronique słuchała, sparaliżowana strachem, jak rzecznik policji prosi radiosłuchaczy o nadsyłanie wszelkich informacji, które wydadzą im się istotne. Dowiedziała się także, że policja już zaczęła przeczesywać Paryż i nie ustanie w wysiłkach, a jeśli będzie trzeba, przeczesze też całą Francję, dopóki nie znajdzie tego porysowanego samochodu. Veronique oczyma duszy już zobaczyła siebie w kajdankach.

Gdy reportaż dobiegał już końca, zabrzmiał dzwonek u drzwi. Musiało do tego dojść, pomyślała Veronique, dziwiąc się sobie, że jest taka spokojna. Jako że spodziewała się tłumu fotoreporterów i kamerzystów towarzyszących policjantom, po drodze do drzwi przystanęła przed lustrem, żeby poprawić włosy, szybko musnęła policzki korektorem Touch Eclat i delikatnie umalowała usta. Sama widziała, że pomimo tego wciąż wygląda marnie, ale przynajmniej coś ze sobą zrobiła. Dzwonek rozległ się ponownie. Tym razem w jego tonie dało się wyczuć zniecierpliwienie. Veronique wyszła do przedpokoju. Postanowiła nie stawiać oporu policjantom, tylko posłusznie oddać się w ich ręce, przyznać się, że to ona spowodowała wypadek, przeprosić szczerze i z głębi serca, a potem ze spokojem przyjąć każdą karę, którą wymierzy jej sąd. Miała tylko nadzieję, że nie przekażą jej angielskiemu wymiarowi sprawiedliwości. Nie uśmiechało jej się zawisnąć na drzewie albo zostać utopioną w beczce wody.

César szedł za nią krok w krok.

– Żegnaj, malutki. – Veronique pocałowała go w łeb. – Na pewno będzie ci dobrze z babcią i dziadziusiem. Jeszcze się kiedyś zobaczymy, obiecuję.

Dzwonek odezwał się po raz trzeci, tym razem słychać w nim było zaciętość. Veronique otworzyła drzwi, nie mogąc się nadziwić, że wszystkie wnętrzności ma jeszcze na miejscu.

– Witam – powiedziała, uśmiechając się przesadnie. – Co słychać?

Była bardzo dumna z wymówki, którą zaimprowizowała na gorąco. Tragiczna saga o jej życiu nabrała ostatnio takiego tempa, że Veronique kompletnie wyleciała z głowy umówiona na niedzielę wizyta pana posępnego, zapoznanego niedawno mechanika. Widząc go w progu, pokrytego od stóp do głów plamami oleju silnikowego, które dodawały mu zniewalającego wprost uroku, Veronique udało się mimo wszystko wymyślić doskonały wykręt. Otóż powiedziała mu, że zaraz po wizycie w jego warsztacie przypomniała sobie, że ma w Hiszpanii krewniaka imieniem Joaquim. Ten jej krewniak, tłumaczyła dalej, jest znanym, cenionym i nagradzanym blacharzem samochodowym; dowiedziawszy się o nieszczęściu, które spotkało jego kuzynkę, natychmiast zaoferował się, że przyleci z Estremadury i zrobi wszystko co trzeba, nie biorąc od niej za nic ani grosza. Veronique przeprosiła mechanika, że nie odwołała ich umówionego spotkania, i tytułem zadośćuczynienia zaprosiła go na kawę. Przyjął propozycję, a ona poczuła się jak prawdziwa zbrodniarka, knująca mroczne przestępcze plany. Niech tylko Estelle się dowie, jak błyskawicznie jej przyjaciółka uczy się myśleć jak kryminalistka!

– Przepraszam. – Powiedziała to już po raz dziewiąty.

– Nie musisz mi ciągle tego powtarzać – wymamrotał.

– Ale mam wyrzuty sumienia. – Przesunęła palcami po jego

piersi, żałując, że wszystkie paznokcie ma połamane i spiłowane do kości. – Strasznie się z tym czuję.

Obrócił się na plecy, pociągając ją na siebie, i przesunął dłonią po jej plecach, w dół, aż dosięgnął nagiego pośladka. Zacisnął na nim palce.

– Bo jesteś straszna – oświadczył, nie patrząc na nią, tylko na ścianę. – Ale nie musisz bez przerwy o tym nawijać.

– Dobrze – obiecała. – Nie będę.

Ścisnął jej pośladek trochę mocniej, a potem drugą ręką ścisnął drugi. Po chwili położył dłonie na obu jej pośladkach, ściskając oba jednocześnie. Przez jakiś czas patrzyli sobie w oczy.

– Muszę ci coś powiedzieć – mruknął.

– Co takiego? – Veronique z całych sił starała się skoncentrować, choć nie jest to łatwa sztuka, kiedy ktoś ugniata ci siedzenie, jakby wyciskał dwie gąbki kąpielowe. – Jesteś gejem w kamuflażu?

– Nie. Nie jestem gejem w kamuflażu. Chodzi o coś innego.

– To może jesteś dorosłym dzieckiem?

– A co to? – Nie posiadał się ze zdziwienia.

– Osoba o odchyleniach infantylnych. – Veronique przypomniała sobie oglądany ostatnio film dokumentalny. – Dorosły facet, który lubi nosić pieluchy – wyjaśniła. – Sam zresztą wiesz.

– Nie, nie jestem dorosłym dzieckiem.

– No, to już sama nie wiem. O co chodzi?

– Z żadną kobietą nie kocham się więcej niż raz.

– Przecież właśnie kochałeś się ze mną trzy razy z rzędu.

– Wiesz, o co mi chodzi. – Miał rację. Wiedziała dokładnie, o co mu chodziło. – Taką mam zasadę. Kto robi inaczej, postępuje wbrew naturze – wyjaśnił.

Zrobili to więc jeszcze jeden raz i tak jak przedtem jego technika była cudownie niewymyślna. Żadnych akrobacji, żadnych wydumanych sztuczek, niczego, co mogłoby wskazywać, że ten mężczyzna posiada w swoim erotycznym repertuarze choćby jeszcze jeden numer. Najzwyczajniej w świecie położył się na niej i przeleciał ją w sposób absolutnie pozbawiony jakiegokolwiek wdzięku. Veronique wepchnęła mu język do ust, prosto w tę szczerbę po brakującej trójce. Kiedy skończył, sięgnął po swój kombinezon, zbierając się do wyjścia. Veronique narzuciła coś na siebie, żeby odprowadzić go do drzwi.

– No to... – bąknął, nie patrząc na nią – ...już po wszystkim. Koniec.

– Tak jest – odpowiedziała. – Do widzenia.

– Nie zobaczymy się już nigdy.

– I mnie się tak wydaje.

– Nie będzie żadnych pocałunków na pożegnanie, żadnych uścisków.

– Bez różnicy.

– Jakbyśmy nigdy się nie znali.

– Otóż to. Uciekaj.

– Żar namiętności, która nas połączyła, wypalił się bez reszty. Nie ma już nic, a to, co było, nigdy nie powróci.

– Wiem. – Wypchnęła go delikatnie za próg. – Żegnaj. – Cofnęła rękę i zamknęła drzwi.

Wyjrzała przez wizjer, w którym widać było tył jego głowy, bo wciąż stał jeszcze na progu, i nagle uświadomiła sobie, że przecież nie wie nawet, jak ten facet ma na imię. Uśmiechnęła się do siebie. Zawsze chciała zrobić coś takiego i nareszcie się doczekała. Ale teraz już byłoby najlepiej, żeby się stąd zabrał i poszedł sobie.

Drzwi zatrzasnęły się za nim, a on stał jak skamieniały. Cały jego plan wziął w łeb. Był całkowicie pewien, że będzie błagała o następne spotkanie, tymczasem ona jakby nie mogła się doczekać, aż on zniknie jej z oczu. Zaczął się zastanawiać, po co przez tyle lat ćwiczył pozę nieprzystępnego ponuraka, z takim poświęceniem trenując te swoje humory. Teraz okazało się, że to wszystko było psu na budę. A przecież już zaczęło się tak pięknie układać. Seks z całą pewnością był krokiem w dobrym kierunku, ale on pragnął o wiele więcej. Chciał, żeby go pokochała równie mocno, jak on kochał ją. Dręczyło go natrętne przeświadczenie, że spodobałby się jej bardziej, gdyby uśmiechał się trochę i dał jej odczuć, jak bardzo przypadła mu do gustu, gdyby nerwowym, przejętym głosem zaprosił ją do kina. Poszliby na jakąś romantyczną komedię i siedzieli w ciemnej sali, trzymając się za ręce. Ale nie. On skrył zdenerwowanie pod płaszczykiem mrukliwych uwag, i wydymał wzgardliwie usta, jakby sam się dopraszał, żeby wyrzuciła go ze swojego domu i ze swojej pamięci. Postanowił, że następnym razem zjawi się u niej z wielkim bukietem i może nawet przyniesie pudełko czekoladowych przysmaków dla tego olbrzymiego psa, którego z całych sił pragnął pokochać jako własnego czworonożnego przyjaciela. Ruszył w kierunku swojego pikapa, ocierając łzę z policzka. Zanim otworzył drzwi, miał już w głowie pierwszy roboczy szkic dwuwiersza sławiącego wdzięczny kształt jej nosa.

– Tym razem to nie byli oni, César – szepnęła Veronique. – Ale i tak niedługo mnie dopadną, więc chcę, żebyś wiedział, że nawet jeśli posiedzę w więzieniu sto lat, to i tak cały czas będę myśleć o tobie. – Objęła go rękami. – Na pewno pozwolą ci przyjść do mnie na widzenie. Kocham cię, César.

Wróciła do garażu i zaczęła zdzierać piankę wyściełającą tylne siedzenie jej małego białego samochodu. Po niedługim czasie wyleciało jej już prawie zupełnie z głowy, że większą część popołudnia spędziła w łóżku z nieznajomym.

Rozdział trzeci

Pożegnała się z Césarem i przeszła przez kuchnię do garażu, gdzie leżał stos wypchanych reklamówek. Zabrała z niego jedną. Zajrzała do środka. Wewnątrz było trochę potrzaskanego plastiku z tylnych świateł, zmasakrowane boczne lusterko, popielniczka, pas bezpieczeństwa i trochę pianki z siedzenia. Wyszła z domu, kierując się w stronę zejścia do metra. Przez cały czas robiła, co mogła, żeby wyglądać jak normalna kobieta w drodze do pracy. Na rogu jej ulicy stał kosz na śmieci; postanowiła, że zostawi w nim torbę. Kiedy była już kilka kroków od niego, w ostatniej chwili zmieniła zdanie. Ten kosz znajdował się zbyt blisko jej domu. Nieustannie miała wrażenie, że śledzą ją oczy sąsiadów. Gdyby któryś z nich zobaczył, jak Veronique wyrzuca taką torbę, mógłby nabrać podejrzeń i wyciągnąć ją z kosza, a zobaczywszy, co w niej jest, natychmiast zadzwoniłby na policję. Veronique zostałaby aresztowana, i to w biurze, zakuta w kajdanki i wyprowadzona na oczach Marie-France, szefa, zachwyconej Françoise i całej reszty. Uświadomiwszy sobie to wszystko w jednej chwili, wykręciła ostro przed samym koszem, wpadając na jakąś bardzo wiekową starszą panią.

– Przepraszam. – Veronique sięgnęła szybko i złapała staruszkę wolną ręką za ramię, żeby jej nie wywrócić. – Nie rozejrzałam się. Moja wina.

Starsza pani rzuciła jej nieprzyjazne spojrzenie i oddaliła się bez słowa, kiedy tylko Veronique ją puściła.

Po drodze do metra były jeszcze trzy kosze na śmieci, ale kiedy do nich podchodziła, nie wiedzieć czemu każdy wydawał się jej odpychający. Miała wrażenie, że za chwilę zaczną rechotać złośliwie, jak czarne charaktery w kreskówkach.

Krążąc w ten sposób, dotarła do metra. Nie udało jej się pozbyć torby, więc zabrała ją ze sobą. Jak zwykle w godzinach szczytu wszystkie miejsca były zajęte. Musiała stać, ocierając się o ludzi, których czuć było kawą i rogalikami. Do pracy było daleko, a do tego w pewnym momencie pociąg zatrzymał się pomiędzy stacjami i stał tak przez pięć minut, które ciągnęły się w nieskończoność. Wreszcie ruszył, a Veronique poczuła, że zaczyna się pocić.

Na ostatniej stacji przed jej pracą zawsze wsiadało sporo ludzi i trzeba się było przesuwać, odsuwać, przybliżać i cofać, żeby mogli przejść. Kiedy w końcu za ostatnim pasażerem zamknęły się drzwi, Veronique rzuciła okiem w dół i spostrzegła z przerażeniem, że jej torba ma dziurę. Z dziury wystawał ostry odłamek tylnego światła, o którym w tej chwili słyszał już cały świat, bo zbił je zderzak mercedesa, którym jechała księżna Walii. Tenże ostry odłamek przebił cienką torbę i drapał teraz w nogę mężczyznę stojącego obok Veronique, z lewej strony. Odsunęła torbę od niego, zbyt gwałtownie, bo uderzyła nią w łydkę kobiety stojącej przed nią. Kobieta wyglądała na żonę żandarma, Veronique nie miała co do tego prawie żadnych wątpliwości. Odsunęła się od pani żandarmowej, znów bijąc pana z lewej torbą po nogach. Obydwoje poturbowanych zignorowało te wybryki, cierpiąc w milczeniu, a Veronique w końcu udało się opanować niesforną torbę. Chcąc nie chcąc, zaczęła sobie wyobrażać, co się stanie, jeśli dziura zrobi się większa albo jeśli torba pęknie i wszystko wysypie się prosto na podłogę wagonu. Ludzie rozszyfrują ją szybko i bezbłędnie.

– Patrzcie państwo – powie ktoś, pewnie ten facet w średnim wieku, ubrany w czarną skórzaną kurtkę. Stamtąd, gdzie siedzi, będzie dokładnie wszystko widział. – Proszę spojrzeć, co się stało. Tej pani pękła reklamówka i wszystko wyleciało na podłogę.

– A co ona w niej miała, proszę zobaczyć – zawtóruje mu tamta wyfiokowana elegantka, wystrojona od stóp do głów w liliowe fatałaszki. – Piankę z siedzeń i połamane akcesoria samochodowe. Kto jeździ metrem z torbą wypchaną takimi śmieciami?

– No cóż – odezwie się wtedy tamten otyły mężczyzna z wąsem

jak mors – można to wyjaśnić tylko w jeden sposób. Ta kobieta usiłuje pozbyć się samochodu, rozrzucając go w częściach po całym mieście, tak żeby nikt nie zauważył. Ale jaki może mieć w tym cel?

– Ciekawe, jakiej marki jest ten jej samochód – zacznie się na głos zastanawiać stojący zaraz obok siwobrody sikh. – Gdybyśmy tylko mogli to wiedzieć, od razu mielibyśmy jaśniejszy obraz sytuacji.

Tutaj wtrąci się tamten facet z bujną rudą czupryną i brudem za paznokciami:

– Tak się składa, że od dwudziestu sześciu lat pasjonuję się samochodami. Rozpoznaję te części. Pochodzą one z jakiegoś modelu fiata, najprawdopodobniej z fiata uno.

Podsumowania dokona tamta ładniutka studentka w okularach i z długimi włosami barwy kasztanowej, która nigdy nie miała dość odwagi, żeby podnieść rękę na seminarium, ale teraz zdejmie okulary, zarzuci głową, rozsypując włosy na ramionach, zerwie się na równe nogi i zakrzyknie, jakby opętana przez Ducha Sprawiedliwości:

– Zatem wszystko jasne! To z całą pewnością ona prowadziła ten biały samochód w tunelu Pont L'Alma! – I doda triumfalnym tonem, wskazując palcem na Veronique: – To ona spowodowała ten straszny wypadek. To ona zabiła księżną Walii, a teraz usiłuje pozbyć się dowodów swej zbrodni.

Dookoła rozlegną się stłumione szepty: „Ona chyba ma rację" i „Co za skandal!". Ktoś pociągnie za hamulec bezpieczeństwa, a reszta pasażerów otoczy Veronique ciasnym pierścieniem, z którego nie będzie mogła się wyrwać. Wezwani policjanci wmaszerują do wagonu przy akompaniamencie radosnych okrzyków pasażerów, wdzięcznych losowi za to, że mogli otrzeć się o wielką historię.

Ale jednak dziura nie zrobiła się większa, a z torby nic nie wypadło. Pociąg zatrzymał się na następnej stacji, a Veronique wysiadła i starając się nie wymachiwać torbą, wyszła schodami na ulicę. Pomiędzy stacją metra a budynkiem, w którym mieściło się jej biuro, stał jeszcze jeden kosz na śmieci. Wrzuciła do niego torbę i pospiesznie zniknęła za drzwiami. Françoise nie zaszczyciła jej nawet spojrzeniem. Marie-France wyglądała kwitnąco.

Veronique zaczęła dzień jak zwykle, od przekładania rzeczy z miejsca na miejsce, bez żadnych widocznych efektów tych wysiłków.

Zbliżało się południe. Françoise zapytała Veronique, czy widziała w telewizji pogrzeb.

– Widziałam.

– Bo ja płakałam przez sześć godzin – pochwaliła się Françoise. – Przez bite sześć godzin. Zupełnie nagle dotarło do mnie, jakie to straszne. Kompletnie się rozkleiłam. Ta biedna księżna... – Rzuciła Veronique spojrzenie spod zmrużonych powiek. – A ty przez ile godzin płakałaś?

– Chyba mniej więcej przez godzinę. Tylko dopóki trwał ten program. Potem przestałam.

– Tylko jedną godzinę? – Françoise spojrzała na nią z pogardą, potrząsając głową. – Młode życie tak okrutnie przerwane, a dla ciebie to wystarczyło ledwie na godzinę łez?

– Zgadza się.

Françoise cmoknęła z niezadowoleniem i wróciła do pracy.

Pod koniec dnia, kiedy Veronique już zakładała kurtkę, Françoise zawołała ją do swojego biurka.

– A powiedz mi, jak tam twój nowy samochód? – zapytała z podejrzanie grzeczną miną.

– W porządku. Stary model, ale nieźle się sprawuje.

– To jest fiat, prawda?

W tym momencie Veronique napluła sobie w brodę, że w ogóle puściła w pracy farbę na temat swojego samochodu. A potem jeszcze raz, za to, że w ogóle opowiada o sobie w pracy.

– No... tak. Faktycznie, mam fiata.

– Tak też myślałam. Białego fiata.

– Wcale nie. Nie jest biały, tylko pomarańczowy. Jasnopomarańczowy. – Françoise miała dziś na ustach wyjątkowo drażniącą jasnopomarańczową szminkę i taki sam puder na policzkach, nic więc dziwnego, że po całym dniu patrzenia na ten neon to był pierwszy kolor, który przyszedł Veronique do głowy.

– Dałabym sobie rękę uciąć, że słyszałam, jak mówiłaś, że twój samochód jest biały. No, ale przecież w końcu mogłam się pomylić

– uśmiechnęła się Françoise. – Skoro mówisz, że twój fiacik jest... – podniosła jedną brew, potem drugą, a następnie opuściła obie – ...jasnopomarańczowy, to znaczy, że musi być... – powtórzyła wymachiwanie brwiami – ...jasnopomarańczowy. Jak śmiałabym wątpić w twoje słowa? – Na jej twarzy wykwitł przerażający uśmiech. – Dałabym sobie rękę uciąć, że mówiłaś „biały" – powtórzyła – ale widocznie się starzeję. Nie te lata i pamięć też już nie ta.

Veronique nie wiedziała, co ma powiedzieć.

– Nie mam więcej pytań – oświadczyła Françoise. – Póki co. Możesz odejść.

Idąc do wyjścia, Veronique obejrzała się jeszcze przez ramię. Françoise siedziała za biurkiem, poprawiając ostentacyjnie tę swoją jasnopomarańczową tapetę. Gdzie ona kupuje takie oczojebliwe kosmetyki, pomyślała Veronique. Może ma wehikuł czasu i przywozi je sobie z lat osiemdziesiątych?

Przez całą drogę do domu nie mogła przestać myśleć o Françoise, starając się dociec, czy wścibska koleżanka naprawdę coś podejrzewa, czy tylko wyzłośliwia się na niej, tak jak zwykle. Idąc ze stacji metra do swojego domu, rozglądała się za jasnopomarańczowymi samochodami. Nie zauważyła ani jednego.

W domu nie czekała na nią policja. Veronique poczuła się nieco rozczarowana; perspektywa tego, że zostanie skuta kajdankami i wyprowadzona do komisariatu, zaczęła już dla niej nabierać cech niejakiej nieuchronności. Przywitała się z Césarem, który drzemał smacznie w swojej olbrzymiej budzie, zaparzyła sobie kawę i poszła prosto do garażu. Tam zabrała się do atakowania kolumny kierownicy piłką do metalu. Szło jej to straszliwie wolno. Wszelkie wysiłki powoli zaczynały wydawać się bezsensowne. W miarę jak przybywało dowodów jej winy, przestawała wierzyć, że uda się jej uniknąć kary. Zadanie, które miała do wykonania, jawiło się jako beznadziejne: jak można rozebrać samochód, kiedy brakuje motywacji, aby się do tego zabrać?

Przypomniał się jej tamten mechanik. Uznała, że pójście z nim do łóżka było doskonałym sposobem na odcięcie się od przeszłości, której na imię było Jean-Pierre. Ten akt był jak wybuch, konieczny, aby Veronique mogła oderwać się od starego życia i rozpocząć nowe, a rozpocznie je, kiedy tylko upora się z samochodem.

Z tej sielanki wyrwał ją dzwonek telefonu. Wróciła do mieszkania i podniosła słuchawkę.

– Halo – powiedziała.

– Hej – odezwał się głos powoli artykułujący słowa. – To ja.

Veronique milczała.

– Jean-Pierre – dodał głos.

– Aha. – Nie musiał jej tego mówić. Poznała go.

– Wróciłem z Marsylii.

– O.

– Muszę z tobą porozmawiać.

– Nie mamy o czym rozmawiać – powiedziała Veronique. – Już po wszystkim, Jean-Pierre, koniec i szlus. – W normalnych okolicznościach pewnie okazałaby mu więcej współczucia, ale ostatnio na jej głowę zwaliło się zbyt wiele rzeczy, żeby jeszcze zawracać ją sobie problemami swoich byłych facetów. Miała dość własnych: na ten przykład w jej garażu stał samochód i czekał na rozbiórkę.

– Ale ty nie rozumiesz – powiedział Jean-Pierre.

– Właśnie, że rozumiem. Rozumiem doskonale i ty też musisz zrozumieć, że między nami wszystko skończone. Zaczynam nowe życie i tobie też to polecam. Prosta sprawa!

– Ale ty nie rozumiesz – powtórzył.

– Nie chcę już tego słuchać. – Veronique uderzył płaczliwy ton tych słów. Jean-Pierre mówił łamiącym się głosem i najwyraźniej był na granicy łez. Mimo to postanowiła być twarda. Zerwała z nim i z przeszłością, a żeby dać temu wyraz, przespała się z brudnym mechanikiem, którego nawet nie znała z imienia i którego nie spotka już nigdy w życiu. Nie zamierzała informować o tym Jeana-Pierre'a, ale musiała uświadomić mu ponad wszelką wątpliwość, że do przeszłości nie ma już powrotu. – Między nami wszystko skończone, Jean-Pierre.

– Ale ty nie rozumiesz – powiedział po raz trzeci. Veronique już miała rzucić słuchawką, lecz jego następne słowa powstrzymały ją. – Mnie nie chodzi o to, co ci się wydaje. Nie chodzi o nas. – Umilkł na chwilę. – Chodzi o wujaszka Thierry'ego.

Veronique poczuła na plecach zimny dreszcz.

– Coś mu się stało?

– Nie żyje.

Rozdział czwarty

Veronique miała kiedyś romans z sąsiadem mieszkającym piętro wyżej. Zaczęło się dwa dni po nagłej i niespodziewanej śmierci jego żony, która ni z tego, ni z owego padła trupem, mając zaledwie dwadzieścia osiem lat. Nieszczęśnik ten skorzystał ze współczucia, które jego tragedia wzbudzała w sąsiadce z dołu. Mający dodać mu otuchy uścisk przerodził się w żarliwy seks, jakiego Veronique nie zaznała jeszcze nigdy w życiu. Facet miotał nią we wszystkie strony, demonstrując znajomość bogactwa najwymyślniejszych pozycji, wzdychał, sapał i wznosił ekstatyczne okrzyki. A gdy minęła chwila uniesienia, wtulił się w jej ramiona i głosem przerywanym chlipnięciami zaczął opowiadać, że nikt nie miał takich brązowych oczu jak jego żona, że jej włosy były zupełnie proste, tylko na karku leciutko się kręciły, i że świat jest okrutny, bo zabrał mu ukochaną. Potem, kiedy już znowu mógł, a antrakt nie trwał wcale długo, wszystko zaczęło się od początku. Lizał jej sutki z wprost niewiarygodnym zapałem, drżąc na całym ciele i kwicząc jak zarzynane prosię. A kiedy skończył, z powrotem rzucił się z płaczem w jej ramiona.

I tak to się ciągnęło, a za każdym razem było tak samo. Po tygodniu Veronique była już kompletnie wyczerpana i miała dość. Uznała, że wystarczająco długo go znosiła – bo przecież w końcu to on przeżył tragedię, przed którą uciekał do jej łóżka, a ją właśnie cały ten interes zaczął już męczyć i to nie na żarty. Nie chciała go jednak zostawiać samego, bo było go jej żal. Wymyśliła, że podrzuci go Estelle. Jej przyjaciółka właśnie przeżyła przymusowe rozstanie ze swoim ostatnim facetem, imigrantem z Estonii czy skądś tam, który nagle został deportowany z powrotem do kraju. Snuła się smętna z kąta w kąt, nie wiedząc, co ma ze sobą począć. Mimo to wytrzymała z panem wdowcem tylko trzy dni, przekazując go dalej ich wspólnej przyjaciółce imieniem Phuong, dla której to był pierwszy raz, więc nie mogła nawet się domyślać, że taka miłość nie jest czymś normalnym. Urok nowości sprawił, że ciągnęła sprawę przez cały miesiąc, ale w końcu i ją wymęczyło to tak bardzo, że musiała przedstawić kochanka swojej kuzynce, która była świeżo po rozwodzie i zamartwiała się, że już nigdy nie posmakuje seksu. Nie minęły dwa tygodnie i kuzynka Phuong doszła do wniosku, że być może jednak celibat wcale nie jest taką złą rzeczą, jak się wydaje. Przekazała wdowca swojej koleżance z pracy. W tym momencie Veronique straciła go z oczu, ale jak słyszała, jego wędrówka od łóżka do łóżka trwała nadal i wciąż wszystko rozgrywało się według starego schematu: nieszczęśliwy facet zatracał się na chwilę w miłosnym zapamiętaniu, krzycząc i trzęsąc się z radości, żeby potem oklapnąć i rozpłakać się, mamrocząc jakieś ledwie zrozumiałe słowa skargi, że jego serce rozpadło się w proch i pył, że już nigdy nie będzie mógł ucałować drobnych rączek swojej żony i że nie dane mu było nawet się z nią pożegnać.

Wiedziała dokładnie, co się stanie, kiedy przyjdzie do mieszkania Jeana-Pierre'a. Kiedy otworzył drzwi, nie powiedziała ani słowa, tylko po prostu wzięła go za rękę i zaprowadziła do sypialni. Drżał i jęczał i pieścił ją tak niecierpliwie jak jeszcze nigdy przedtem. A gdy było już po wszystkim, ułożył głowę na jej brzuchu i rozpłakał się za swoim wujkiem Thierrym jak małe dziecko.

Narzucili na siebie jakieś ubrania i usiedli na kanapie, popijając wino.

– Chcesz o tym porozmawiać? – zapytała Veronique.

– Nie za bardzo – odparł.

Ale w końcu i tak wszystko jej opowiedział.

– To było coś strasznego. Kiedy byłem u mamy w Marsylii, zadzwonił znajomy, który mieszka w tej samej wiosce co wujaszek Thierry. Opowiedział jej, że już od wielu tygodni wujaszek zachowywał się dziwnie. Codziennie zachodził do sklepiku i kupował wino, a nigdy dotąd właściwie nie pijał alkoholu, czasami tylko kieliszek czegoś do obiadu, no i to piwo u mnie. A teraz zaczął kupować trzy albo cztery butelki dziennie i zabierać je ze sobą do domu. Raz nawet widziano go, jak późną nocą chodził po wiosce zygzakiem, od pobocza do pobocza. Wszyscy zamartwiali się o niego, ale nikt nie miał pojęcia, co robić.

– A ty wiedziałeś o tym?

– Nic a nic. Ludzie krępowali się zawiadomić nas, a poza tym zawsze ktoś z rodziny regularnie odwiedzał wujaszka, więc pewnie uważali, że o wszystkim wiemy. Ale kiedy ktoś od nas do niego przyjeżdżał, wujaszek był taki sam jak zwykle. Nikt nie zauważył, żeby zachowywał się jakoś inaczej niż dotąd. Nie było też żadnych butelek po winie, pewnie je chował, kiedy wiedział, że ktoś się do niego wybiera. W każdym razie kilka tygodni temu jego codzienne wyprawy po alkohol nagle ustały. Wszystkim bardzo ulżyło, że zły okres nareszcie dobiegł końca. No, a w zeszły czwartek w okolicy jego domu usłyszano strzał z rewolweru. Było już ciemno, dzieci leżały w łóżkach, więc wszyscy się wystraszyli. W barze piło jeszcze kilku mężczyzn, którzy na odgłos wystrzałów złapali jakieś latarki i pobiegli zobaczyć, co się dzieje. Wtedy rozległo się jeszcze kilka strzałów. Kiedy przybyli na miejsce, było już za późno. Wujaszek leżał na ziemi, przy swoim gołębniku.

Veronique nie mogła znaleźć słów. Ujęła rękę Jeana-Pierre'a w dłonie i tak czekała, aż zacznie mówić dalej.

– Nie wiadomo, skąd wujaszek miał ten rewolwer. – Jean-Pierre podjął opowieść. – Wystrzelił sześć razy. Pierwszymi pięcioma kulami roztrzaskał głowy swoim pięciu gołębiom, a szóstą wpakował sobie prosto w serce.

Umilkł. Veronique objęła go ramieniem. Czuła się podle. Kiedy widziała wujaszka Thierry'ego w tym mieszkaniu po raz ostatni, okłamała go i myślała tylko o tym, żeby już prędzej sobie poszedł, bo przyszła tutaj ukraść wieżę należącą do jego bratanka.

– Muszę ci coś powiedzieć. – Wbiła wzrok w podłogę.

– Co takiego?

– Wiem, że się na mnie pogniewasz za to, ale trudno. Zasłużyłam.

– O co chodzi?

– O wujaszka.

Jean-Pierre nie powiedział nic.
Veronique wzięła głęboki oddech.

– Prosił mnie, żebym cię od niego pozdrowiła. Powiedział tak: „Powiedz mu, że wujek Thierry go pozdrawia".

Jean-Pierre milczał, wpatrując się w sufit. Veronique zamknęła oczy i schowała twarz w dłoniach.

Przez jakiś czas siedzieli tak bez najmniejszego ruchu.

– Przyjechałaś samochodem? – zapytał Jean-Pierre.

– Nie. Popsuł się – odparła Veronique.

Długo się namyślał, aż w końcu zadał pytanie:

– Możesz mi przypomnieć, co to za wóz?

– Fiat. Fiat uno.

– Biały, prawda?

Skinęła głową.

– Tak też myślałem – powiedział Jean-Pierre, nie odrywając wzroku od sufitu. Veronique nie miała pojęcia, co odpowiedzieć.

– No, to ile kasy dostałaś?

– Nie sprzedałam go. Stoi w garażu.

– Nie pytam o samochód, tylko o moją wieżę.

– Aha. – Veronique nie miała zamiaru wypierać się, że nie wie, o czym mówi Jean-Pierre. – Cztery tysiące pięćset.

– Ktoś cię okantował. Na pewno mogłaś dostać więcej. Byłem ci winien sześć tysięcy, więc szkoda, że tyle nie dostałaś. Bylibyśmy kwita, a tak wciąż wiszę ci tysiąc pięćset.

– Nic mi już nie wisisz. Przepraszam cię. – Wyrzuty sumienia nie pozwalały jej spojrzeć mu w oczy.

– Nie ma sprawy. W końcu miałaś nóż na gardle.

– Skąd wiesz, że miałam nóż na gardle? – zdziwiła się.

– No... – odparł. – Gdybym ja zabił jakąś księżną, to chyba czułbym się podobnie.

Jean-Pierre też słyszał w wiadomościach o białym fiacie. Zastanowił się, choć przelotnie, czy to możliwe, żeby chodziło o samochód Veronique. Spróbował wyliczyć, czy mogła ona być wtedy w drodze do domu, ale bardzo szybko dał sobie spokój. Jakkolwiek było, to przecież Veronique z nim zerwała, a on wyjechał aż do Marsylii, żeby o niej zapomnieć. Ale jednak samochód zamknięty w garażu, spotkanie Veronique z wujaszkiem

Thierrym, które mogło mieć miejsce tylko i wyłącznie tutaj, w tym mieszkaniu, całkowicie nieprzypadkowe zniknięcie jego wieży i ta nagła potrzeba gotówki u Veronique doprowadziły go po nitce do kłębka.

– Wdepnęłaś w gówno, co?

Przytaknęła.

– W naprawdę niezłe gówno, mam rację?

I tym razem nie zaprzeczyła.

– To może opowiedz mi o wszystkim?

Veronique potwierdziła to, do czego Jean-Pierre zdążył już dojść sam, a potem opowiedziała mu, co zrobiła, żeby zatrzeć ślady prowadzące do niej, i zwierzyła się, że ma już do tego wszystkiego coraz mniej serca. Opuściła tylko jeden fragment całej historii, mianowicie ten, w którym pojawiał się mechanik samochodowy. Wydało jej się, że to nie jest odpowiedni moment na przytoczenie tej konkretnej anegdoty.

– Rozumiem, że masz jeszcze te pieniądze za wieżę? – zapytał Jean-Pierre.

– Mam.

– Ale nie naprawisz za nie rozbitego wozu, tylko będziesz się starała kupić nowy, i to zanim twoi rodzice wrócą z Afryki, mam rację?

– Tak.

– Ale zanim kupisz nowy samochód, będziesz musiała pozbyć się starego, w taki sposób, żeby nikt tego nie zauważył. Tak czy nie?

– Tak.

– Coś ci powiem.

– Co?

– Nie zazdroszczę ci.

I jak za dotknięciem przełącznika, w oczach Jeana-Pierre'a odbił się bezbrzeżny smutek. Rzucił się na Veronique, porywając ją w ramiona i wpychając jej język do ucha. Wierzgał i rżał cicho niczym spłoszony kucyk, a gdy już było po wszystkim, ułożył głowę na jej brzuchu i rozpłakał się za swoim wujkiem Thierrym jak małe dziecko.

– Zostań na noc – zaproponował.

– Nie mogę. Zostawiłam Césara na dworze, w ogrodzie.

– W takim razie może ja pójdę do ciebie? Pokażesz mi samochód i zabierzemy Césara na nocny spacer. Stęskniłem się za nim.

– Naprawdę?

– Jasne. Stęskniłem się za wami obojgiem.

– A nie jesteś na mnie wściekły za to, co zrobiłam?

– Jestem, troszkę. A właściwie bardzo. Ale jakoś to zniosę.

– Dzięki – uśmiechnęła się. – Nie ma sprawy. Możesz iść do mnie.

I co dziwniejsze, zaprosiła go do siebie nie z litości ani z poczucia obowiązku, ani z wdzięczności, że nie doniósł na nią policji. Prawda była o wiele bardziej zaskakująca. Zaprosiła go do domu, bo sama tego chciała.

Rozdział piąty

– No, dobra. – Veronique rzuciła śrubokręt na podłogę. – Postanowione.

– Co postanowione? – zainteresowała się Estelle, zajęta zamiataniem śmieci pozostałych po robocie przy samochodzie. Nie miała zielonego pojęcia, o co może chodzić przyjaciółce.

– Jadę do Londynu.

– O. A w jakim celu?

– Amputować sobie palec u nogi – oznajmiła Veronique.

– Spoko – odpowiedziała Estelle. – Szerokiej drogi. Odezwij się po powrocie.

Mniej więcej półtora roku wcześniej Estelle i Veronique wybrały się do Londynu w odwiedziny do swojej przyjaciółki imieniem Phuong, która wyjechała tam na kilkumiesięczne stypendium, by poświęcić się badaniom kości dinozaurów. Pierwszego wieczoru po przyjeździe poszły we trzy na imprezę do domu jednego ze znajomych Phuong z wydziału. Jak to zwykle bywa tam, gdzie zbiorą się Anglicy, rozmowa dotyczyła głównie dylematów związanych z jedzeniem koni i tuczeniem gęsi. Anglicy ani rusz nie mogli też pojąć właściwej wymowy kurtuazyjnych uśmiechów, którymi Francuzki kwitowały te tematy, dla nich bez wątpienia śmiechu warte. Niewiadomym sposobem potrafili też wmówić sobie, że oto właśnie nadarza się okazja na małe *ooh-la-la*, bo takim mianem uparli się to określać. Estelle i Veronique bywały już wcześniej w Londynie i zdążyły się oswoić z tym, że mieszkańcy tego miasta mają dość specyficzne pojęcie o dobrej zabawie w towarzystwie. Była to więc dla nich kolejna z cyklu londyńskich nocy – impreza w wynajętym na spółkę domu stojącym bardzo daleko od najbliższego przystanku autobusowego. W domu tym panowały niepodzielnie dwa kolory, ściekowy brąz i nikotynowa żółć; nawet białka oczu zaproszonych gości wydawały się nie być białe. Veronique i Estelle zaczęły zastanawiać się po cichu, jakim sposobem można uratować resztę wieczoru, i kiedy już postanowiły, że porwą Phuong i dadzą nogę do jakiegoś nocnego klubu, zadźwięczał dzwonek u drzwi, oznajmiając przybycie nowego gościa.

– Przepraszam za spóźnienie – tłumaczył się nowo przybyły gospodarzowi imprezy. Veronique nastawiła uszu. – Miałem w szpitalu istne urwanie głowy.

Tknięta nagłą paniczną obawą, że ktoś może ją uprzedzić, Veronique zerwała się z miejsca i popędziła do przedpokoju, żeby jak najszybciej się przedstawić.

– Dobry wieczór – uśmiechnęła się. – Nazywam się Veronique. Przyjechałam z Francji.

Mówiła po angielsku całkiem swobodnie, z tym że on dużo swobodniej władał francuskim. Wyjaśnił, że uczył się tego języka w szkole, a potem pracował przez rok w programie *Médecins Sans Frontières*, „Lekarze bez Granic". Rozmawiali więc głównie po francusku. Po mniej więcej godzinie odczepiła się od niego i zaciągnęła Estelle i Phuong na stronę.

Obie dziewczyny już dawno porzuciły plan zmiany imprezy. Podczas gdy Veronique była zajęta swoją nową zdobyczą, one znalazły w kącie minikręgle i bardzo szybko gra pochłonęła je bez reszty. Wciągnęły się w nią jeszcze bardziej, kiedy okazało się, że każda z nich reprezentuje odmienny styl: Phuong rozwinęła strategię rozgrywki, a Estelle zamiast taktyki preferowała czystą agresję. Minimalna przyjemność, którą czerpały z gry, była dla nich wyrazem triumfu ducha nad nadzwyczajnymi przeciwnościami losu – czuły się jak więźniowie w obozach jenieckich, którzy dla zabicia czasu grali w szachy bez figur i bez szachownicy, polegając wyłącznie na własnej pamięci, przechowując całą rozgrywkę w głowie. Pomimo to, kiedy Veronique wróciła do nich, obie miały już dość minikręgli jak na jeden wieczór i chętnie zasiadły z nią na stronie, żeby wysłuchać, co ma im do powiedzenia.

– Życie jest piękne – usłyszały.

– A dlaczego konkretnie? – zapytała Phuong, która dobrze wiedziała dlaczego.

– No bo to jest tak: najpierw przychodzisz na świat. Potem idziesz do szkoły. Potem kończysz szkołę praktycznie bez żadnych kwalifikacji i to nie dlatego, że jesteś głupia, ale ponieważ na lekcjach nie chciało ci się uważać, a wieczorami zawsze były lepsze rzeczy do roboty niż nauka. Potem z nudów idziesz na kurs fotograficzny i okazuje się, że jesteś całkiem niezła w te klocki. Oczywiście w międzyczasie życie uczy cię kilku rzeczy, na przykład tego, jakie rozmiary potrafi osiągnąć pies świętego Bernarda, albo że kurczaki nie jedzą sera, albo że czasem, żeby zarobić na życie, trzeba iść do nudnej roboty. Wiecie, takie życiowe sprawy. Są to rzeczy trudne, ale dzięki nim dziewczyna staje się kobietą. Potem poznaje się kilku facetów. Kilku z nich nadaje się na kilka miesięcy chodzenia, od innych lepiej uciekać jak najszybciej. Aż w końcu dobiegasz wieku dwudziestu jeden lat, jedziesz do Londynu i tam poznajesz młodego, przystojnego lekarza, zakochujesz się w nim i wychodzisz za niego. Proste jak drut. Ci, co mówią, że życie jest skomplikowane, nie mają pojęcia, o czym bredzą.

– No to w końcu jak jest? – zapytała Estelle. – On ci się podoba czy nie?

– Sądzę, że jest bardzo miły.

– I umówisz się z nim?

– Oczywiście. Widzimy się jutro. Zabiera mnie na przejażdżkę łodzią po czymś, co się nazywa Serpentine, nie wiem, co to takiego. Spotkam się z nim jeszcze kilka razy, zanim stąd wyjedziemy, a potem muszę wracać do domu, żeby przygotowywać moją wystawę i zajmować się Césarem. – Westchnęła. – Oczywiście trudno nam będzie znieść rozstanie, więc on zaraz przyjedzie odwiedzić mnie w Paryżu, a potem tylko patrzeć, jak zaproponuje mi, żebym zamieszkała razem z nim w Londynie. Ja się zgodzę, chociaż co najmniej raz na dwa tygodnie będę musiała spędzić kilka dni u nas, bo będą tego wymagały te wszystkie moje głośne paryskie wystawy, no i przecież muszę widywać się z Césarem. A potem on mi się oświadczy. Wy we dwie będziecie moimi druhnami. Jakie chcecie mieć sukienki?

– To ty naprawdę uważasz, że szykuje się coś poważnego? – Na twarzy Estelle znać było zaniepokojenie. Wynikało to z tego, że właśnie z całych sił starała się odpędzić wizję siebie w sukience druhny.

– Otóż to. Tak mi się wydaje. A nawet jestem całkiem pewna, że to będzie coś poważnego. Facet oszalał na moim punkcie, to widać od razu. Nie przewiduję żadnych problemów.

Po minach Phuong i Estelle widać było, że nie podzielają tak optymistycznych prognoz co do nowego romansu Veronique. Ani jedna, ani druga nie wiedziała, co ma powiedzieć.

– Nie cieszycie się? – zdziwiła się Veronique, spojrzawszy na ich nagle spoważniałe twarze.

– To nie chodzi o to, że się nie cieszymy. Bardzo się cieszymy, że tak ci się ładnie trafiło. Tylko że... – Estelle zabrakło słów. Umilkła i zaczęła obracać w palcach miniaturowy kręgielek.

Phuong przyszła z pomocą przyjaciółce.

– Chodzi o to, że on jest Anglikiem. W tym cały kłopot.

– Wiem, że jest Anglikiem. W końcu jesteśmy w Anglii, więc można się było tego spodziewać, zresztą on wcale się przede mną nie krył ze swoim pochodzeniem. A w ogóle to co z tego, że to Anglik? Wy obie znacie Londyn o wiele lepiej ode mnie i zawsze tyle gadałyście, jakich świetnych facetów można tutaj spotkać.

– Bo można. Z tym że to nigdy nie są Anglicy – odparła Phuong. – W Londynie jest pełno cudzoziemców takich jak my, przystojnych i świetnych w łóżku. Ale na Anglików szkoda czasu.

– A na kogo nie szkoda?

– Na obcokrajowców. Paragwajczyków, Sybiraków, Irlandczyków, Polinezyjczyków, Mikronezyjczyków, Eskimosów, Kenijczyków, Włochów, Libijczyków, Kurdów... Wszystko jedno, byle to nie był Anglik.

– I nie ma wyjątków?

– No... Bywało, że ktoś chciał to sprawdzić. Nie będę rzucać nazwiskami, ale powiem tylko tyle, że jeden taki błąd w życiu wystarczy.

– Ale dlaczego związek z Anglikiem to aż tak wielki błąd?

– Powiedzmy, że ci panowie po prostu nie nadają się na partnerów. – Estelle i Phuong wymieniły porozumiewawcze spojrzenia, uśmiechając się znacząco.

– A mój doktor i tak jest inny – oświadczyła Veronique. – Gadaliśmy godzinami, a on ani razu nawet nie wspomniał o gęsiach ani o koninie. No i patrzcie tylko... – Wskazała na drugi koniec pokoju, a na jej twarzy malowało się takie zdumienie, jakby nagle prosto w oczy zaświeciła jej zorza polarna. – Nawet umie tańczyć. – Wstrząśnięta tym odkryciem, zakryła otwarte usta dłonią.

Nowy gość dopiero teraz po raz pierwszy pojawił się na parkiecie zaimprowizowanym przed ceglanym kominkiem. Trzy przyjaciółki patrzyły, jak porusza się w takt muzyki. Estelle i Phuong musiały przyznać, że jak na Anglika jest to dość wyjątkowa umiejętność. Facet tańczył naprawdę nadzwyczajnie.

– No cóż, powodzenia – powiedziała Phuong. – Oby ci się z nim ułożyło.

– No właśnie, powodzenia – dodała Estelle. – Tylko nigdy nie mów, że cię nie ostrzegałyśmy.

Widząc, jak wiele par damskich oczu wodzi za jej cudownym tańczącym doktorem, Veronique wstała i poszła do niego, żeby przypadkiem nie pozwolić nikomu sprzątnąć go sobie sprzed nosa.

Po kilku dniach Phuong powróciła do swoich przedpotopowych kości, a Estelle wsiadła w pociąg i pojechała do Walii na odczyty poezji, które się tam akurat wtedy odbywały w różnych ośrodkach sztuki i bibliotekach publicznych. Zamierzała też dokupić brakujące pozycje do swej kolekcji płyt walijskiej kapeli Gorky's Zygotic Mynci. Bezskuteczne okazały się natomiast natrętne nagabywania urzędnika działu rekrutacji w Lampeter University, którego Estelle nachodziła z prośbą o przyjęcie na jeden kurs. Poinformowała go, wcale nie przesadzając, że zaliczyła osiem różnych testów na inteligencję i w każdym z nich wyszło, że jest genialna. Urzędnik nie dał się jakoś oszołomić tymi wynikami i wciąż powtarzał, że do przyjęcia wymagane są dyplomy, których Estelle nie posiadała – głównie z tej prostej przyczyny, że nigdy w życiu nie przystąpiła do żadnego egzaminu. Przyznał jednak, że jej znajomość walijskiego jest imponująca i że po raz pierwszy spotyka osobę, która potrafi tak soczyście kląć w języku, którego uczyła się zaledwie przez sześć tygodni i to sama, bez nauczyciela. Tymczasem Veronique i jej doktor spędzali razem wiele czasu, jadali w restauracjach, zwiedzali Londyn, chodzili na kręgle, do teatru, grali w cymbergaja i tańczyli. Wreszcie jednak nadszedł ten dzień, kiedy ona musiała wrócić do Paryża, żeby zająć się Césarem i organizacją swojej wystawy.

Problem polegał na tym, że rozstanie z doktorem wcale nie było dla niej aż tak trudne, jak tego oczekiwała. Pragnęła poczuć, jak jej serce rozrywa się na strzępy na samą myśl o rozłące, tymczasem żegnając się z nim, pomyślała tylko: „Miło było. Niedługo zobaczymy się znów".

Robiła, co mogła, aby podsycić w sobie to marzenie. Kursowała bez ustanku pomiędzy Londynem a Paryżem, pozostawiając Césara pod opieką rodziców, którym coraz bardziej było to nie w smak. Potrafiła zniknąć na kilka dni, a bywało nawet, że tygodni. Powoli jednak zaczęła dochodzić do wniosku, że w tym, co mówiły Estelle i Phuong, jest sporo prawdy. Ciągnęło się to tak przez prawie trzy miesiące, pełne nieporadnych pocałunków, niezdarnych przytuleń oraz wyznań miłosnych czynionych nie w porę. Skończyło się na tym, że pewnego razu Veronique po powrocie do Paryża niemalże przypadkowo poszła do łóżka z bardzo młodym Francuzem, który doskonale wiedział, do czego służą usta, a jego dłonie muskały jej ciało jak skrzydła motyla. Kiedy było już po wszystkim, wyrzuciła go na zbity łeb ze swojego pokoju. Poczuła się bezgranicznie nieszczęśliwa.

Angielski doktor znał za swoich młodych lat pewną parę, mieszkającą po sąsiedzku. Tych dwoje ludzi miało zwyczaj co najmniej raz w tygodniu chodzić razem na tańce. Czasami okazja nadarzała się sama, bo akurat byli zaproszeni na jakieś wesele, srebrne gody albo czyjeś czterdzieste urodziny, ale kiedy brakło zaproszeń, wybierali się na własną rękę do jakiegoś klubu nocnego, na zajęcia kursu tańca towarzyskiego czy po prostu na dansing gdzieś w pobliżu ich domu i tam, w tłumie ludzi o połowę od nich młodszych, tańczyli w rytm najnowszych przebojów. Miejsce było dla nich nieważne, liczyło się tylko to, żeby co najmniej raz w tygodniu wybrać się dokądś na tańce. Po skończonej zabawie wracali do domu, śmiejąc się w głos i trzymając za ręce jak nastolatki.

Doktor nigdy w życiu nie widział, żeby jego rodzice tańczyli ze sobą. Na weselach, srebrnych godach i czterdziestych urodzinach różnych znajomych zawsze siedzieli w głębi sali, mierząc parkiet takim spojrzeniem, jakby to były ruchome piaski. Kiedy doktor miał trzynaście lat, jego rodzice się rozeszli i odtąd pozostawali w separacji, a on doszedł do wniosku, że to dlatego, że nigdy ze sobą nie tańczyli. Gdyby raz w tygodniu albo chociaż co jakiś czas chodzili razem na tańce, tak jak ich sąsiedzi, wtedy w ich małżeństwie nigdy nie zabrakłoby iskry prawdziwej miłości.

Pewnego dnia rodzice odbyli rozmowę ze swoimi dziećmi (doktor miał brata i siostrę); oznajmili im, że chociaż separacja świetnie się sprawdziła, bo dzięki temu pozostali dobrymi przyjaciółmi, to jednak postanowili wziąć rozwód. Tego dnia doktor podjął dwie decyzje. Po pierwsze, przysiągł sobie, że nauczy się tańczyć jak szatan, po to, żeby miłość pomiędzy nim a jego przyszłą żoną nigdy nie wygasła. Po drugie, zdecydował, że zwiąże się z kobietą dopiero wtedy, gdy znajdzie tę jedyną, którą pojmie za żonę. Nie mógł znieść myśli o tym, że można przestać kochać kogoś, kogo kochało się ponad życie. Był absolutnie pewien, że rozpozna tę jedyną: oczekiwał, że poczuje słodkie drżenie i usłyszy bicie dzwonów.

Wierny swoim postanowieniom, wytrwale uczył się tańczyć, puszczając mimo uszu kpiny i docinki znajomych chłopaków, którzy dowiedzieli się, że chodzi na kurs fokstrota w szkółce parafialnej, a po lekcjach zostaje w szkole na warsztatach tańca disco, uważanego za ściśle żeńską dyscyplinę. Zaobserwował również, że kobietom zawsze podobają się lekarze, ponieważ spodziewają się one po nich współczucia i zrozumienia, które w połączeniu z korzystnymi perspektywami zarobkowymi i stuprocentowo pewną akceptacją ze strony matki tworzą kombinację wprost nie do przebicia. Aby zatem pomnożyć szanse na znalezienie swojej wiecznej – a do tego wzajemnej – miłości, zaczął specjalizować się w przedmiotach ścisłych i zatrudnił się w weekendy jako sprzątacz w okolicznym szpitalu, prosto zaś ze szkoły poszedł na akademię medyczną, gdzie pracował ciężko i osiągał świetne wyniki, lecz mimo to i tak zawsze potrafił znaleźć czas na taniec.

Był tak obłożony pracą, że tylko od czasu do czasu znajdował chwilę, kiedy mógł pomyśleć, że tej jedynej, tej idealnej towarzyszki na całe życie, jak nie było, tak nie ma. Powtarzał sobie, że brak mu czasu na romanse i że najpierw musi ustawić się jakoś w wybranym zawodzie i złapać nieco oddechu, a kiedy już to osiągnie, będzie mógł wyruszyć na poszukiwania przyszłej połowicy. Partnerek do tańca nigdy mu nie brakło, ale wirując z nimi wzdłuż i wszerz parkietów, ani razu nie poczuł tego utęsknionego słodkiego drżenia i nie usłyszał tych dzwonów, które, jak wiedział, miały mu obwieścić, że oto znalazł tę, z którą spędzi resztę życia i że ta reszta życia właśnie się zaczyna. Po skończonych tańcach niejedna z tych dziewczyn kręciła się jeszcze w pobliżu, mając nadzieję na dalszą część wieczoru, ale nigdy do niczego takiego nie doszło. Zdarzały się wśród nich kobiety naprawdę ładne i ujmujące, w których towarzystwie czuł się doskonale; zachodził potem w głowę, czego za każdym razem mu w nich brakowało. Odpowiedź na to pytanie nigdy nie była prosta. Próbował zrzucać winę na różne rzeczy, przykładowo kolor oczu albo brzmienie głosu, ale w głębi serca i tak wiedział, że chodzi o coś zupełnie innego: po prostu nigdy nie usłyszał swoich dzwonów, a bez dzwonów – wiadomo – nie ma szans na wielką, dozgonną miłość. Jeżeli nie potrafił sobie wyobrazić siebie i tej dziewczyny jako pary tańczących staruszków, nie widział sensu w dalszym ciągnięciu znajomości.

Tak mijały lata, a on wciąż był samotny. Rodzina i przyjaciele w końcu zaczęli się o niego martwić. Kiedy miał dwadzieścia sześć lat, jego matka, zniecierpliwiona faktem, że ani razu jeszcze nie miała okazji skrytykować ewentualnej kandydatki na synową, wzięła go na szczerą rozmowę i oznajmiła otwarcie, że jeżeli faktycznie taki jest jego wybór, jeśli postanowił żyć bez partnerki, to ona w pełni akceptuje jego decyzję. Zapewniła go z całego serca, że nie musi poczuwać się przed rodzicami do obowiązku płodzenia potomstwa, albowiem jego siostra postarała się już dla nich o parę przeuroczych wnucząt. Dla niej, jak powiedziała, najważniejsze jest to, żeby on był szczęśliwy; nigdy nie przestanie go kochać, bez względu na to, jakich wyborów w życiu dokona. Cały ten matczyny wywód niespecjalnie trafił doktorowi do przekonania i dalsza rozmowa potoczyła się już zupełnie innym torem, ponieważ on szybko zmienił temat. Dwa lata później oznajmił mamie przez telefon, że chce jej kogoś przedstawić, a ona poczuła się nieco zawiedziona, że tym kimś okazała się Veronique z Paryża, którą jej syn potrafił opisać tylko jednym słowem: piękna. Przez lata szykowała się na ten dzień, kiedy on przedstawi jej jakiegoś Josego, Michaela czy Roya i poinformuje ją o wielkiej miłości, która ich łączy. Ta piękna Veronique z Paryża pokrzyżowała jej plany; już zdążyła dokładnie wyobrazić sobie te rozmowy z przyjaciółkami i te słowa rzucane od niechcenia, głosem pełnym matczynej czułości: „Ach, wiecie, w końcu okazało się, że jest homoseksualistą". Była tak rozczarowana, że mało brakowało, a straciłaby panowanie nad sobą. Nie doszło jednak do tego. Uspokoiła się i powiedziała synowi, że jest bardzo szczęśliwa i nie może się już doczekać, aż pozna tę Veronique, a kiedy Francuzka zjawiła się w jej domu, człapiąc w swoich o kilka numerów za dużych adidasach i wywijając długimi brązowymi warkoczami, mama doktora była już na dobre oswojona z myślą, że jej syn ma dziewczynę. Polubiła ją zresztą bardzo, bo Veronique z miejsca zaprzyjaźniła się z ukochanym rodzinnym spanielkiem i miała zwyczaj uśmiechać się kurtuazyjnie do jej eks-męża, słysząc jego żarty o jedzeniu koniny i tuczeniu gęsi. A doktor tego dnia upewnił się ostatecznie, że jego poszukiwania dobiegły końca. Od pierwszej chwili, kiedy tylko ujrzał tę dziewczynę na imprezie, w jego uszach zaczęły bić dzwony, które nie milkły, lecz wręcz przeciwnie, brzmiały coraz głośniej i coraz wyraźniej. Najgłośniej zaś i najwyraźniej usłyszał je właśnie tego dnia, kiedy przedstawił Veronique mamie.

Tę noc spędzili razem. Z nikim jeszcze nie było mu w łóżku tak cudownie, co więcej, był przekonany, że żaden mężczyzna nigdy nie przeżył tego co on. A nazajutrz, kiedy odprowadził Veronique na pociąg, prosto z dworca udał się do jubilera, gdzie wybrał przepiękny i bardzo drogi pierścionek z brylantami. Pieniądze na ten zakup zaczął odkładać, kiedy w wieku czternastu lat poszedł do swojej pierwszej pracy. Żeby zgromadzić całą potrzebną sumę, musiał jeszcze zlikwidować książeczkę mieszkaniową, ale wiedział, czuł to w głębi serca, że tym razem nie może się mylić.

Veronique doszła do wniosku, że byłoby zbyt okrutne napisać mu o tym w liście albo powiedzieć przez telefon. Jednak była mu coś winna. Zasługiwał na to, żeby usłyszeć od niej osobiście, że wszystko skończone. Tak jak się umówili, wróciła do Londynu tydzień później. Miała przygotowaną mowę, krótką i zwięzłą. Uprzedził ją, że szykuje dla niej jakąś niespodziankę zaraz po przyjeździe. Veronique miała nadzieję, że będzie to coś prostego, na przykład trzy tuziny róż.

Czekał na nią na peronie, przywitał pocałunkiem i wziął jej torbę podróżną. Wyszli z dworca. Kilka przecznic dalej stał jego samochód. Wsiedli do niego i ruszyli w nieznanym kierunku, gdzie czekała ta jego tajemnica. Veronique od razu chciała poprosić go o rozmowę, ale widząc, co wyczynia z radości na jej widok, nie miała serca psuć mu tego. Zachowywał się identycznie jak César, witający ją po powrocie z podróży. Słuchała cierpliwie opowieści o tym, co porabiał, kiedy jej nie było, a on pytał ją o proste rzeczy: o jej zdjęcia i o Césara. Rozmowa toczyła się więc gładko. Od czasu do czasu odrywał dłoń od kierownicy i poklepywał Veronique po udzie albo ściskał za rękę. Doszła do wniosku, że nie byłoby najmądrzej oznajmiać mu tak miażdżących wieści, kiedy prowadzi, więc postanowiła poczekać, aż dojadą tam, dokąd mieli dojechać, i dopiero wtedy pogadać z nim na osobności.

Nie miała bladego pojęcia, gdzie są. Po około półtorej godziny doktor zjechał na drogę nieutwardzoną, którą ciągnęła się przez dłuższy czas i doprowadziła ich na jakieś pole. A na tym polu czekał na nich gotowy do lotu balon.

Veronique po raz pierwszy w życiu znalazła się w podobnej sytuacji. Nie wiedziała, jak ma się zachować. Prawdopodobnie należało coś powiedzieć, ale jakoś nie mogła znaleźć odpowiednich słów. W zupełnej ciszy doktor pomógł jej wejść do kosza.

– Czyż to nie jest piękne? – zapytał jakiś czas później, kiedy wisieli już setki metrów ponad ziemią. Dzień był pogodny, a widoczność wynosiła wiele, wiele kilometrów.

– Piękne – zgodziła się Veronique. – Bardzo piękne.

– Proszę? – Nie dosłyszał, bo wicher porwał jej słowa.

– Jest! – zawołała.

– Nigdy ci nie mówiłem, że potrafię tym latać, prawda? Chciałem ci kiedyś zrobić niespodziankę.

Doktor objął ją ramieniem i musnął ustami policzek. Przez chwilę stali tak przytuleni, a on opierał podbródek o jej głowę. Zapatrzeni w rozległą panoramę, nie mówili nic.

– Veronique – doktor nagle przerwał milczenie, odwracając ją ku sobie – chcę cię o coś poprosić.

Nie mogła już dłużej znieść tej jego koszmarnie szczęśliwej miny.

– Nie – powiedziała. – Najpierw ja ci coś powiem. – Zabrzmiało to okropnie. Na jego twarzy odbiło się przerażenie; już wiedział, co zaraz usłyszy.

Dwie godziny później balon wylądował na środku ogromnego pola. Veronique odetchnęła, bo dopiero w tej chwili zyskała ostateczną pewność, że doktor, oszalały z rozpaczy, nie wyskoczy z kosza i nie rozmaże się gdzieś w angielskim krajobrazie, ją skazując na dryfowanie w przestworzach do końca życia. Spojrzała na niego; siedział na dnie kosza z twarzą ukrytą w dłoniach.

Veronique nie miała pojęcia, gdzie się znajdują ani co trzeba zrobić z balonem po wylądowaniu. Wszystkie jej rzeczy, łącznie z paszportem, zostały w samochodzie, musiała więc grzecznie czekać, aż doktor się pozbiera.

– Przepraszam – szepnęła. Mówiła zupełnie szczerze. Nienawidziła siebie za to, co zrobiła.

Podniósł głowę i spojrzał na nią. Oczy miał czerwone, a całą twarz, łącznie z czołem, mokrą od łez.

– Nie musisz mnie przepraszać – zaszlochał.

Veronique uklękła przy nim i chciała go objąć, ale on szarpnął się, jakby poraził go prąd.

– Nie rób tego, bardzo cię proszę – powiedział.

Wstała i cofnęła się na drugą stronę kosza. Otworzyła usta, żeby jeszcze coś powiedzieć, ale widząc, że on znów schował twarz w dłoniach, uznała, że lepiej nie mówić nic.

Chwilę później dostrzegła na krańcu pola sporą grupę ludzi idących w stronę balonu. Kiedy się zbliżyli, rozpoznała członków rodziny doktora. Była wśród nich jego matka, jego ojciec, jego brat i siostra, rodzinny spanielek i inni, których pamiętała ze zdjęć: kuzyni, siostrzenice, bratankowie. Podążało z nimi jeszcze kilkoro ludzi w bardzo różnym wieku, przypuszczalnie powinowaci, a więc teściowie, szwagrowie, macochy, stryjeczne czy cioteczne babki i dalej w ten deseń. W sumie maszerowało ku nim bez mała dwadzieścia osób, uśmiechniętych od ucha do ucha i machających na powitanie. Veronique zmusiła się, żeby unieść omdlewającą rękę i też pomachać.

– Cała twoja rodzina przyszła – powiedziała do doktora.

– No to już. – Otarł oczy i poderwał się z podłogi. Pomachał do zbliżających się krewnych, tak jak przed chwilą Veronique, czyniąc wielki wysiłek, żeby uśmiechać się promiennie, jakby nigdy nic. Ale kiedy tamci podeszli bliżej, zauważyli od razu, że ta balonowa eskapada nie przebiegła aż tak pomyślnie, jak się spodziewali, uwierzywszy jego zapewnieniom. Zatrzymali się w odległości kilku metrów od kosza i tylko matka doktora ruszyła z kopyta ku młodym. Z pobladłą twarzą zwróciła się prosto do syna, nie spojrzawszy nawet na Veronique:

– Nie zgodziła się?

Potrząsnął głową.

– Czyli że się zgodziła?

Znów ten sam gest.

– To co się w końcu stało? Nie mów tylko, że bałeś się zapytać.

– Nie miałem okazji. Uprzedziła mnie. Powiedziała, że uważa mnie za wspaniałego człowieka, ale że według niej po prostu nie pasujemy do siebie. Nie chodzi o to, że znalazła sobie kogoś innego, ale, jak mówiła, będąc w Londynie, tęskniła za swoim psem bardziej niż za mną, kiedy była w Paryżu.

Dla Veronique było to proste i zwięzłe wytłumaczenie, ale w jego ustach zabrzmiało strasznie.

– A potem powiedziała, że zasługuję na kogoś lepszego niż ona i... – Umilkł, nie mogąc wydobyć głosu. Veronique poczuła ulgę, że w końcu przestał mówić.

Niemniej jego matka była już w tym momencie na granicy histerii.

– A pierścionek?! – krzyknęła. – Pokaż jej pierścionek, to może zmieni zdanie. No, już! Pokaż jej!

Doktor pogrzebał w kieszeni i wyciągnął maleńkie pudełeczko. Podsunął je Veronique pod oczy i otworzył.

Nie wiedziała, co powiedzieć. Pierścionek był fantastyczny, a ona gdzieś w głębi duszy bardzo chciała przymierzyć go na palec.

– Przykro mi – bąknęła.

– Niepotrzebnie – powiedział doktor, ocierając oczy i chowając pudełeczko z pierścionkiem do kieszeni. – Zdarza się i tak.

– No cóż – wtrącił się jego ojciec, wychodząc z grupki krewnych, którzy tymczasem zdążyli już zaimprowizować coś w rodzaju biwaku, rozłożywszy przyniesione koce i składane krzesełka, na których siedzieli, nie wiedząc, gdzie mają podziać oczy, za to z minami dobitnie świadczącymi o tym, że w ogóle nic się nie stało. – Ten lód, co go niosłem przez całe to pole, musi się na coś przydać. Komu szampana?

Rozległy się strzały odkorkowywanych butelek. Wśród tej salwy Veronique wygramoliła się z kosza.

– Proszę, moja droga. – Ojciec doktora podszedł do niej z plastikowym kubkiem pełnym szampana. – Łyknij sobie. – Veronique wychyliła kubek jednym haustem, a on natychmiast napełnił go ponownie. – Droga prawdziwej miłości, jak to mówią, nigdy nie jest gładka! – zachichotał, przewracając oczami i potrząsając głową. – Droga prawdziwej miłości…

Rozdział szósty

Estelle przyszła na górę, do pokoju Veronique i zastała przyjaciółkę upychającą rzeczy w walizce.

– Wiem, że to nie mój interes – powiedziała – ale możesz mi wyjaśnić, dlaczego chcesz amputować sobie palec u nogi i do tego musisz w tym celu wybierać się do Londynu?

– Bo nawet kiedy już wyrzucimy ostatnią śrubkę z tego samochodu, będę musiała jeszcze kupić nowy.

– Jasne, że tak. Ale pomyśl, czy rodzice po powrocie z Afryki nie zauważą, że w garażu zamiast samochodu stoi słoiczek z paluszkiem ich córeczki pływającym w formalinie albo może, jeśli tak wolisz, gablotka z tymże paluszkiem, zasuszonym i nadzianym na szpilkę? Czy nie zastanowi ich fakt, że w miejscu, gdzie powinien stać biały *hatchback*, leży tylko obcięty palec, bez nogi i całej reszty?

– Nie, bo to w ogóle nie tak będzie. – Veronique bezmyślnie pakowała różne rzeczy do podręcznej torebki.

– To może wytłumacz mi, bardzo cię proszę, jak to będzie.

– Pamiętasz tego doktora, z którym chodziłam przez chwilę?

– Tego Anglika? Tego, co słyszał... dzwony, tak?

– Tak, tego. Przypomniało mi się, że kiedyś opowiadał mi o takiej klinice w Londynie, gdzie można zgłosić się na operację, którą studenci chirurgii przeprowadzają dla praktyki. Polega to na tym, że obcinają ci mały palec u nogi, a potem przyszywają go z powrotem. Dostaje się za to dwa tysiące funtów, czyli mniej więcej dwadzieścia tysięcy franków. Razem z forsą za wieżę Jeana-Pierre'a będę miała tyle, że starczy mi na nowy używany samochód, a kto wie, może nawet coś mi zostanie. Wtedy zafunduję nam nowe paznokcie.

Estelle przyjrzała się swoim dłoniom. Chociaż ostatnio do pracy przy samochodzie zaczęły zakładać robocze rękawiczki, to i tak obie musiały pogodzić się z faktem, że dla ich paznokci dająca się przewidzieć przyszłość nie rysuje się bynajmniej w różowych barwach.

– A wiesz, może to wcale nie jest najgorszy plan – powiedziała. – Ale lepiej będzie, jak poświęcimy pięć minut, żeby dopracować go w szczegółach.

– Wszystko mam już szczegółowo obmyślone. Będzie dobrze.

– Pięć minut. Chodź, zejdziemy na dół i napijemy się czegoś.

– Pierwsza rzecz – powiedziała Estelle – to planu część praktyczna. Do którego szpitala chcesz pójść?

– Nie wiem. Doktor mi powie.

– Czyli rozumiem, że chcesz się do niego odezwać?

– Tak. Kiedy przyjadę do Londynu, odwiedzę go w domu.

– I co mu powiesz? Witaj, przepraszam jeszcze raz za tamto w tym balonie, aha, nie wiesz przypadkiem, gdzie tu u was obcinają palce u nogi?

– Coś w tym stylu. Szczegóły rozmowy dopracuję sobie w pociągu.

– Ale skąd masz pewność, że on zechce ci pomóc?

– Bo sam mi to powiedział. Ze łzami w oczach zapewniał, że jeśli będzie kiedyś mógł coś dla mnie zrobić – cokolwiek – to mam dzwonić bez namysłu. I wiem, że mówił poważnie.

– A skąd wiesz, że dalej mieszka tam, gdzie mieszkał?

– Bo wypisywał swój adres na każdej kartce świątecznej i urodzinowej, którą do mnie wysłał, a gdyby się przeprowadził, to z całą pewnością dałby mi o tym znać. On wciąż wierzy, że pewnego dnia wszystko mi się odmieni i wrócę do niego.

– A zatem, kiedy cię zobaczy w swoich drzwiach, nabierze fałszywej nadziei.

– Wiem, że to przykre, ale jestem w konkretnie kryzysowej sytuacji. Postaram się zresztą, żeby w tej sprawie miał jasność: nie ma najmniejszych szans, żebym do niego wróciła. A żeby uniknąć nieporozumień, powiem mu to od razu, kiedy tylko otworzy drzwi. Ciężko to zniesie, ale tak będzie dla niego najlepiej.

Estelle, poirytowana, że żadnymi sposobami nie udaje jej się wpłynąć na przyjaciółkę, zaczęła odczuwać mrowienie w tej ręce, której zwykle używała do policzkowania.

– A jeśli nie ma go w domu? A jeśli wyjechał na wakacje? Pojedziesz taki kawał drogi do Londynu, pocałujesz klamkę i wrócisz. Zmarnujesz czas i pieniądze.

Veronique jęknęła, ściskając dłonią czoło.

– Może nie jestem najlepsza w planowaniu, ale i tak nadal sądzę, że w mojej sytuacji to jest najbardziej sensowne wyjście. Nie musisz się o mnie martwić, bo te operacje są stuprocentowo bezpieczne. Piły są sterylizowane. Wszystko jest tak jak trzeba.

Estelle kiedyś o mały włos nie sprzedała swojej bujnej blond grzywy jakiemuś chałupniczemu perukarzowi, więc miała pojęcie, co w tej chwili przechodzi Veronique. Była jednak przekonana, że uda im się znaleźć inne rozwiązanie, niewymagające posuwania się do aż takich ostateczności.

– Musisz zrobić tak – poradziła przyjaciółce. – Najpierw zadzwonisz do tego swojego doktora. Sprawdzisz, czy nie wyjechał z miasta, a jeśli nie, dyskretnie wybadasz, czy ma możliwość zapisania kogoś do tej kliniki od palców. Dopóki nie powie, że może to zrobić, nie mów mu, że to ty chcesz iść na tę operację – nie wolno ci ryzykować bez potrzeby, że zacznie coś podejrzewać.

Zgodnie z zamiarem Estelle, Veronique zaczęła się zastanawiać na poważnie, jak odbędzie się jej powrót do życia angielskiego doktora. Wyobraziła sobie, jak otwiera jej drzwi; a mogło przecież być i tak, że od tamtego strasznego dnia, kiedy wylądowali balonem na środku jakiegoś pola, w ogóle się nie golił. A jeśli w progu stanie wychudzone widmo z zapadniętymi oczyma? Bała się tego, ale już od kilku dni bezskutecznie starała się wymyślić, skąd ma wytrzasnąć pieniądze, dzięki którym wydostanie się z tego dołka. Błyskawiczna operacja w Londynie wydawała się najlepszym rozwiązaniem. Nawiasem mówiąc, biorąc pod uwagę swoją zdolność kredytową, Veronique właściwie nie miała innego wyjścia jak jechać na tę amputację, chyba że zaczęłaby się parać przemytem heroiny w sposób właściwy wyłącznie kobietom, do czego jednak nie była skłonna. Z drugiej strony, Estelle miała rację: nie można zjawiać się u kogoś znienacka, bez zapowiedzi.

– Zgoda – powiedziała. – Zadzwonię do niego.

Odszukała numer i wykręciła go na aparacie. W słuchawce zabrzmiał sygnał, a potem ktoś na drugim końcu odebrał telefon. Serce Veronique zabiło mocniej.

– Halo?

Nie mogła się mylić. Głos w słuchawce należał do doktora. Veronique zesztywniała, chociaż nie mogła do końca zrozumieć, dlaczego tak nią wstrząsnęło, że człowiek osobiście odbiera telefon we własnym domu.

– Halo? – powtórzył doktor.

– A... – Wreszcie udało jej się wydobyć z siebie głos. – Cześć.

– Veronique? – zapytał. – To ty?

– Ee... tak. Cześć.

– Jak to miło cię słyszeć. Co u ciebie?

– Wszystko świetnie, dziękuję. – Miała potworne wyrzuty sumienia. Jego głos tchnął spokojem i radością, że znów ją słyszy. Musiał włożyć w to nadludzki wysiłek. – A ty jak się miewasz?

– Też dobrze, dzięki. Naprawdę świetnie.

– To wspaniale. – Wiedziała, że to kłamstwo.

– A jak tam César?

Veronique przypomniała sobie, jak powiedziała mu, że bardziej tęskniła za Césarem niż za nim.

– U Césara wszystko w porządku – odrzekła. – Masz od niego pozdrowienia.

Doktor roześmiał się i kazał również pozdrowić psa. Potem zapadła cisza; oboje zastanawiali się, co mają teraz powiedzieć. Milczenie przerwał doktor.

– A więc czemu zawdzięczam tę przyjemność? – zapytał.

– Proszę?

– Ee... Po co do mnie dzwonisz?

– Tak sobie, zapytać, jak żyjesz. A wiesz, moja przyjaciółka chciałaby się wybrać na tę operację, gdzie obcinają palec u nogi i przyszywają z powrotem. Mówi, że chce przyczynić się do rozwoju medycyny.

– Ach tak. Ja osobiście już nie za bardzo w tym siedzę, ale jeśli podasz mi jej personalia, spróbuję wpisać ją na listę oczekujących.

– To na tę operację trzeba się zapisać i czekać?

– Trzeba. Tego nie robi się codziennie. Upłynie pewnie kilka miesięcy, zanim twoja przyjaciółka doczeka się na swoją kolej. Ale jeśli naprawdę nie chce zwlekać z przyczynieniem się do rozwoju medycyny, to są też inne operacje tego rodzaju, na przykład wyciąganie i ponowne wkładanie gałek ocznych. To mógłbym spokojnie załatwić i to w zupełnie krótkim terminie.

– Nie, dzięki. Jej bardzo zależy akurat na tej amputacji palca, bo ma taką stryjeczną babkę, która niedawno obcięła sobie palec krajalnicą do sera i wiesz, przyszyli go jej z powrotem, więc ona, to znaczy ta moja przyjaciółka, z wdzięczności za fachową pomoc chce coś zrobić, żeby w przyszłości takie operacje przebiegały równie sprawnie i pomyślnie.

Veronique pamiętała, że tylko za amputację palca płacą tyle, ile było jej w tej chwili potrzebne. Za wyciąganie i wkładanie gałek ocznych nie kupiłaby nawet starego zarżniętego motoroweru, a co dopiero mówić o samochodzie.

– Poczekaj chwilkę – powiedział doktor. – Podasz mi dane swojej przyjaciółki, tylko złapię coś do pisania.

Czekanie kilka miesięcy na pieniądze nie wchodziło w grę, ale coś trzeba było mu powiedzieć. Nie minęło kilka chwil, a na liście oczekujących na amputację i ponowne przyszycie małego palca u nogi figurowało już nazwisko Estelle. Właścicielka nazwiska rzuciła Veronique krótkie spojrzenie spod zmrużonych powiek i wyszła do ogrodu, pobawić się z Césarem.

– A co słychać u Estelle? – zapytał doktor.

Dowiedział się, że u Estelle wszystko w porządku, a wiadomość, że dostała się na listę w klinice od obcinania palców, na pewno bardzo ją ucieszy. I znów zapadło milczenie.

– Bardzo mi miło, że się odezwałaś – powiedział wreszcie doktor.

Veronique była przekonana, że nadszedł moment, kiedy zacznie się snucie wspomnień i prośby, żeby wróciła do niego.

– Trzeba by się kiedyś spotkać – dodał.

Nie miała pojęcia, co na to odpowiedzieć. Już raz zrujnowała mu życie i za nic nie chciała tego powtarzać. Estelle od samego początku miała rację, jak zwykle zresztą. Veronique znów zaczęło gryźć sumienie, że w ogóle do niego zadzwoniła.

– A wiesz co – powiedział nagle – może byście we trójkę z Estelle i Phuong wpadły na mój ślub? Świetnie by było zobaczyć was w komplecie.

W pierwszej chwili Veronique aż zatkało z wrażenia, ale natychmiast jej serce wezbrało współczuciem. Ona go nie chciała, więc związał się z pierwszą lepszą.

– O – wykrztusiła. – Żenisz się?

– Żenię. W przyszłym roku, latem.

– Wspaniała nowina. Zdradzisz mi imię tej szczęściary? – zapytała Veronique.

Rozmowa prowadzona mieszaniną francuskiego i angielszczyzny trwała jeszcze dobre pół godziny. Wreszcie Veronique udało się pożegnać i odłożyć słuchawkę.

– No i? – zapytała Estelle, powróciwszy z psem z dworu. – Jak tam pan doktor?

– Doskonale – odpowiedziała Veronique, uśmiechając się, odrobinę zbyt szeroko. – Zaręczył się. Tak się cieszę.

– Przy mnie nie musisz udawać – przypomniała jej Estelle.

– To wprost nie do wiary! – wybuchnęła Veronique. – Znalazł sobie kogoś! Mieszkają razem, a w przyszłym roku biorą ślub!

– Czyli tak naprawdę wcale się nie cieszysz, że jemu jest dobrze?

– Cieszę się. – Veronique wzruszyła ramionami. – Chyba. Nie, no co ty, oczywiście, że się cieszę. – Jej twarz przywodziła na myśl gradową chmurę. – Nie posiadam się ze szczęścia. Wspaniale było o tym usłyszeć, ale prawdę mówiąc, to jestem też trochę na niego zła.

– Dlaczego?

– Po naszym rozstaniu przysłał mi długi list, w którym pisał, że już nigdy nikogo nie pokocha, że poświęci życie leczeniu chorych i że porzucił poszukiwania prawdziwej miłości, bo jego zdaniem dzwony można usłyszeć tylko raz w życiu, więc skoro już je słyszał przy mnie, nie ma sensu szukać dalej. No i proszę, zostawiam go, a po pół roku, on co? Zapoznaje inną dziewczynę, zaczyna się z nią spotykać, a teraz mi mówi, że biorą ślub. Dasz wiarę?

– No dobrze, żeni się, ale może wmawia sobie tylko, że kocha tę drugą. Pytałaś, czy naprawdę słyszy przy niej te swoje dzwony?

– Pytałam. Podobno słyszy. Powiedział mi, że to przy mnie to było jak dzwoneczki wietrzne albo niesione wiatrem bicie na Anioł Pański w wiejskim kościółku, a kiedy pierwszy raz zobaczył tamtą dziewczynę, poczuł się tak, jakby ktoś przybił mu ucho do

Big Bena. Mówi, że prawie ogłuchł z miłości do niej. Ale to jeszcze nie wszystko.

– To znaczy?

– Zwierzył mi się, że nie tylko słyszy dzwony, ale widzi też roje spadających gwiazd.

– Coś takiego...

– I to też jeszcze nie wszystko... – Veronique zamknęła oczy i potrząsnęła głową. – Kiedy jest blisko niej, podobno czuje się tak, jakby chodził po chmurach.

– Czy to dla ciebie naprawdę aż takie straszne?

– Cieszę się, że jest szczęśliwy, ale muszę przyznać, że nieco się na nim zawiodłam. Słowa trzeba dotrzymywać. – Veronique gniewnym ruchem otworzyła butelkę piwa i jednym haustem opróżniła ją do połowy.

– Chcesz mi zatem wmówić, że kiedy facet składa obietnicę w przypływie rozpaczy, to musi jej dotrzymać, choćby do końca swoich dni miał żyć jak mnich?

– Otóż to. Na takie tematy nie wolno kłamać. Doktor źle postąpił, łamiąc dane słowo. Nic go nie tłumaczy.

– Wiem, dlaczego się wściekasz – powiedziała Estelle.

– Wcale się nie wściekam.

– Właśnie, że tak. Wściekasz się, bo ci żal, że się z nim rozstałaś. Był Anglikiem, fakt, ale był też lekarzem, był przystojny, a na domiar wszystkiego umiał tańczyć. A ty go zostawiłaś, bo wydawało ci się, że gdzieś tam czeka na ciebie ktoś lepszy. I co? Z kim byłaś przez ten czas, i to jak długo? Z pierwszym lepszym hipisem, który umie tylko dmuchać w ten swój wielki saksofon i nie ma nawet normalnej pracy, chociaż dobiega czterdziestki. Zmarnowałaś na niego tyle miesięcy, a mogłaś przez ten czas uczyć doktora, jak kochają Francuzi. Do tej pory wszystko by już zdążył opanować.

– Nie wydaje mi się. A Jean-Pierre wcale nie jest aż taki zły, jak mówisz.

– Ostatnio mówiłaś o nim co innego.

– On jest bardzo wrażliwy, tylko inaczej.

– Wrażliwy inaczej? Co ci nagle strzeliło do głowy?

– Nic.

– Na pewno?

– Na pewno. Nic.

– Nie ściemniasz?

– Nie ściemniam. – Veronique nadrabiała tonem i pewnością siebie, ale minę miała nietęgą. Wiedziała, że przed Estelle nic się nie ukryje. – Tylko wróciłam do niego.

– Aha. Znów jesteś z Jeanem-Pierre'em. Jakie to romantyczne! A czy on wie – Estelle skinęła głową w stronę garażu – co tam stoi?

Veronique przytaknęła.

– Ale nie bój się – dodała szybko. – On nikomu nie powie.

– O to się nie martwię. Dziwię się tylko, dlaczego twój facet, skoro faktycznie nim jest, nie pomaga nam przy robocie. Co on teraz robi? Siedzi w domu i słucha tych swoich dźwiękowych landszaftów?

– Niczego nie słucha. Już zapomniałaś, że ukradłyśmy mu wieżę?

– A, no tak.

– Poza tym on dziś nie może.

– Słucham, dlaczego. Lepiej, żeby udało ci się mnie przekonać.

– Pojechał na pogrzeb.

– No dobrze. Może być. Usprawiedliwiony. Na razie, bo kiedy tylko wróci, widzę go tutaj. Ma nam pomagać rozebrać tego twojego pieprzonego gruchota. Rozumiesz?

– Nie bój się, przyjdzie.

Po upływie godziny Estelle zdołała wmówić Veronique, że należy się chociaż odrobinę ucieszyć z tego, że doktor się żeni. Przekonała ją także, że bardzo dobrze zrobiła, nie jadąc do Londynu na amputację małego palca u nogi. Opracowały nawet wstępnie kilka nowych sposobów pozbycia się samochodu przy pomocy Jeana-Pierre'a. W końcu Estelle powiedziała:

– Jak napisał R. S. Thomas...

Look at this village boy, his head is stuffed
With all the nests he knows, his pockets with flowers
Snail-shells and bits of glass, the fruit of hours
*Spent in the fields by thorn and thistle tuft**.

– Co takiego? – Veronique uniosła brwi.

* Patrz, oto chłopiec ze wsi, co ma głowę pełną
Ptasich gniazd, które widział, a kieszenie kwiatków,
Ślimaczych muszli i szkiełek, zbieranych wzdłuż traktów,
Na polach, tam, gdzie się głóg i oset pysznią. (tłum. M. J.)

Estelle wyrecytowała własne francuskie tłumaczenie zacytowanego fragmentu.

– Aha – powiedziała Veronique. – Śliczne. Ale co to, kurwa, ma wspólnego ze mną albo z tym, co robimy?

– Właściwie to nic. Pomyślałam tylko, że może cię to trochę rozweseli.

Ten fragment poezji podziałał jednak wprost przeciwnie, bo Veronique przyszło nagle do głowy, że tamten chłopiec ze wsi z kieszeniami pełnymi ślimaczych muszli i szkiełek to mógł być wujaszek Thierry za swoich szczęśliwych młodych lat, zanim jeszcze w jego życiu nie rozegrał się ten straszny dramat.

– Biedny wujaszek – powiedziała i przez kilka minut popłakiwała cicho.

Veronique w duchu skłonna była przyznać rację Estelle, która wmawiała jej, że należy się cieszyć, że doktor wyszedł na prostą. Dobrze było wiedzieć, że nie spędzi reszty życia na czarnych myślach i hodowaniu gołębi. Wzięła się w garść i powoli zaczęła dochodzić do siebie.

A Estelle postanowiła, że nigdy więcej nie zacytuje Veronique wierszy walijskich poetów, skoro tak na nią one działają. Poczekała, aż przyjaciółka przestanie pociągać nosem, a potem pożegnała się i poszła do domu, pozostawiając ją sam na sam z kolejną nocą pełną ponurych rozmyślań i niespokojnego snu.

Rozdział siódmy

Na słomiance leżały dwie koperty. W pierwszej była kartka urodzinowa od rodziców. Kartka ta przyszła cztery dni za wcześnie i oprócz życzeń, takich samych jak zwykle, zawierała opis tego, co porabiali w Beninie, numer lotu, którym będą wracać do Paryża, i godzinę przylotu, przypomnienie dla Veronique o obowiązku koszenia trawnika i odkurzania psiej sierści z dywanów oraz – najlepsze ze wszystkiego – zdjęcie bratanka i bratanicy Veronique na zjeżdżalni w parku.

– Chodź zobaczyć! – zawołała. W drzwiach stanął Jean-Pierre z twarzą całą we włosach. Veronique podała mu zdjęcie. – To nasze maluchy. Śliczne, nie?

Jean-Pierre zgodził się, że śliczność maluchów przekracza granice subiektywizmu.

Veronique otworzyła drugą kopertę i zawyła z radości. List przyszedł z galerii w Madrycie; chciano tam wystawić wybór jej prac. Przedstawiciele tejże galerii, będąc niegdyś z wizytą w Paryżu, widzieli serię dwunastu zdjęć autorstwa Veronique, zatytułowaną „Bernardyn siedzący", a teraz planowali włączyć ją do własnej wystawy, na którą miał się składać przegląd twórczości młodych fotografików francuskich. Prace Veronique przedstawiały Césara siedzącego na chodniku w różnych częściach Paryża, mijanego przez ludzi spieszących gdzieś w swoich sprawach. Na niektórych zdjęciach mało kto zwracał uwagę na siedzącego psa, na innych zaś stawał się on ośrodkiem zainteresowania. Jedna fotografia pokazywała Césara z turystami przed Centrum Pompidou – otaczał go zbity krąg gapiów, jakby był jakąś wielką atrakcją, połykaczem mieczy albo tancerzem breakdance, a nie zwykłym, ponadsiedemdziesięciokilogramowym psem z lekko krzywym ogonem. Na następnej César siedział w godzinie szczytu przy wyjściu ze stacji metra Belleville, ignorowany przez wszystkich przechodniów; była też inna, na której przysiadł obok spalonego motocykla w Aubervilliers, obserwowany przez gromadę ponurych dzieci. Na każdym zdjęciu César demonstrował swoją firmową zasmuconą minę. Złapanie dobrych ujęć było koszmarnie trudne, bo przez cały czas albo dookoła kłębił się tłum ludzi, którzy tak naprawdę wcale nie mieli ochoty być na zdjęciu, albo samemu Césarowi nudziło się siedzenie i uciekał z kadru, a dosłownie ułamek sekundy później zdjęcie mogło być idealne. Veronique pracowała bez ustanku przez trzy tygodnie i zużyła siedemdziesiąt osiem klisz, ale w końcu miała dwanaście zdjęć, z których była zadowolona. A teraz w Hiszpanii znaleźli się ludzie, którzy też byli zadowoleni z jej pracy.

Do przedpokoju wkroczył César, nieświadomy międzynarodowej sławy, na którą był już skazany.

Veronique odszukała swoje klucze i sprawdziła, czy jest przygotowana na dzień w pracy; jej niezbędny, podstawowy ekwipunek składał się z kosmetyków do makijażu, papierosów i paru drobnych, na wypadek gdyby skończyły się jej kosmetyki albo papierosy. Jean-Pierre obiecał, że wyprowadzi Césara, skosi trawnik i zabierze się do samochodu. Veronique miała przeczucie, że spacer z Césarem będzie wyglądał tak, że Jean-Pierre po prostu wypuści go do ogrodu, a jego praca przy rozbiórce samochodu składać się będzie w większości z przerw na kawę i przypalenie jointa. Była pewna, że po powrocie z pracy zastanie nietknięty, zapuszczony trawnik, szalejącego, niewybieganego psa i rosnący stos wypchanych reklamówek, wymykający się już spod kontroli.

Kiedy otworzyła drzwi, Jean-Pierre zawołał za nią.

– Hej! – krzyknął.

– Co się stało?

– Moje gratulacje – powiedział. – No wiesz, z tymi zdjęciami.

– Dzięki. – Uśmiechnęła się i wyszła do pracy.

Dzień minął jej cicho i spokojnie na oglądaniu zdjęcia bratanka i bratanicy, załatwianiu jakichś drobiazgów i usilnym powstrzymywaniu się od wymiotów na widok gigantycznej fioletowobrązowej kokardy we włosach Françoise. O wystawie w Madrycie nikomu nie pisnęła ani słowa. Françoise przez cały czas rzucała w jej kierunku lodowate spojrzenia, jakby wyczuwając, że coś się tutaj przed nią ukrywa.

Po powrocie do domu Veronique stwierdziła, że oba trawniki, ten od frontu i ten na tyłach, zostały skoszone, wymęczony César leży w swojej budzie i nie ma siły się ruszyć, z garażu ubyło kilka reklamówek, natomiast Jean-Pierre uwija się przy samochodzie, a dookoła niego walają się części, które tego dnia wymontował. Zdążył już zdjąć drzwi i zabrać się do rozbierania silnika.

– No, no... – powiedziała. – Nie traciłeś czasu.

– Znasz mnie przecież. Nie lubię się obijać.

– Zrób sobie przerwę. Zaparzę kawy.

Poszli razem do kuchni.

– Nie wiedziałam, że taka z ciebie złota rączka – powiedziała Veronique. Jak długo go znała, Jean-Pierre nie przyznał się jej chociażby do tego, czy ma prawo jazdy. Nie potrafiła nawet powiedzieć, czy jej mężczyzna wie, gdzie w samochodzie wlewa się benzynę.

Wzruszył ramionami.

– W końcu jestem facetem. No, a fiat uno to nie jest najbardziej złożony mechanizm na świecie.

– Więc sądzisz, że nam się uda? – zapytała.

– Nam?

– Przepraszam. Czy sądzisz, że mnie się uda?

– Nie widzę problemu, o ile przez kilka dni będziemy pracować pełną parą, a zwłaszcza, jeśli powiedzie się mój tajny plan. Muszę dyskretnie dowiedzieć się kilku rzeczy i zdobyć od cholery różnych narzędzi, ale myślę, że z pozbyciem się tego wozu raczej nie będzie kłopotów.

– To dobra wiadomość – przyznała Veronique, ale w głębi serca wciąż jakoś nie potrafiła uwierzyć, że nadejdzie taka chwila, kiedy będzie mogła zapomnieć o całej tej sprawie. Bo przecież nawet jeśli Jean-Pierre w czarodziejski sposób sprawi, że wrak zniknie z garażu, to trzeba jeszcze będzie kupić nowy samochód, a żeby rodzice nie marudzili na tę zamianę, musi on być co najmniej trochę lepszy niż ten, który zostawili, wyjeżdżając na wakacje. A to będzie kosztować, i to o wiele więcej, niż Veronique miała w kieszeni.

– A co z forsą? – zapytała. Do tej pory starała się usilnie nie poruszać tego tematu, ale wiecznie przed nim uciekać nie mogła.

– Nie martw się – odrzekł Jean-Pierre. – Moja w tym głowa.

– Co chcesz wymyślić? Nie masz grosza przy duszy, tak samo jak ja. Nie masz nawet normalnej pracy.

– Naprawdę, nie przejmuj się tym. Mam na to sposób.

Veronique nie chciała się z nim kłócić, więc umilkła, obiecując sobie, że niedługo powróci do tej kwestii.

Kiedy tylko Jean-Pierre dopił kawę, natychmiast pomaszerował do garażu i zabrał się z powrotem do pracy. Demontował silnik metodycznie, część po części, a Veronique zawijała je w stronice starych numerów „Le Monde" i upychała w reklamówkach.

Nie mogła wyjść z podziwu, widząc, jak dynamicznie pracuje Jean-Pierre. O ósmej wieczorem ledwie dał się jej ubłagać, żeby odłożyć resztę roboty na następny dzień i zjeść jakąś kolację.

Siedzieli przy stole, popijając wino i podskubując resztki posiłku.

– Gratulacje – powtórzył Jean-Pierre.

– Dzięki.

– To niesamowite, że wybrali cię do tej wystawy.

– Wiem – uśmiechnęła się.

– Dobra robota – powiedział Jean-Pierre. Nagle wyraz jego twarzy się zmienił. – A jednak... Muszę ci się przyznać, że źle się z tym czuję.

– Dlaczego? Co ci w tym przeszkadza?

– Muszę ci o czymś powiedzieć – wymamrotał, nie patrząc jej w oczy. – To ważna sprawa.

– Co się stało? – Veronique nie potrafiła odgadnąć, o co może mu chodzić.

Jean-Pierre odwrócił wzrok i patrzył przez chwilę na ścianę. Wreszcie wstał.

– Puszczę ci coś – powiedział cicho. Podniósł swoją torbę i wyjął z niej płytę kompaktową.

No, super, pomyślała Veronique. Będzie mi tu teraz wyrażał swoje najgłębsze uczucia poprzez dźwięk. Nic mi więcej nie potrzeba.

– Co to jest? – zapytała, automatycznie zapalając papierosa. Nagranie zaczynało się pseudoorkiestrowym intrem, do którego po chwili dołączyły miarowo bijące bębny i elektryczna gitara. – Brzmi jak Scorpionsi.

– To nie Scorpionsi – powiedział Jean-Pierre, chociaż Veronique miała trochę racji. – Słuchaj dalej.

Odłożyła papierosa do popielniczki, zebrała w dłoń kosmyk włosów, rozdzieliła go na trzy i zaczęła zaplatać warkoczyk. Spodziewała się jakichś ukrytych haczyków aranżacyjnych, ale w miarę słuchania nie mogła się żadnych doszukać. Wyglądało na to, że Jean-Pierre naprawdę zmusza ją, żeby w ciszy i skupieniu wsłuchiwała się w radiowy rockowy kawałek. Do muzyki dołączył wokal. Facet, który, sądząc po głosie, nosił bujną grzywę długich włosów, zaczął wyśpiewywać angielski tekst; ze słów wynikało, że został porzucony przez kogoś, kogo bardzo kochał. Potem nastąpił refren, w którym wokalista ogłuszającym rykiem zwierzał się, że oto jego marzenia legły w gruzach. Druga zwrotka dała wyraz głębokim emocjom: nastąpiły wygłoszone drżącym ze wzruszenia głosem opisy cudownej miłości podmiotu lirycznego do obiektu jego uczuć, które w następnych wersach ustąpiły miejsca niebotycznemu zdziwieniu, że to już koniec. Powrócił refren, po refrenie było monumentalne gitarowe solo, a potem jeszcze raz refren i zmiana tonacji, która doprowadziła piosenkę do potężnego, wielogłosowego finału, gdzie w tle dało się słyszeć coś, co brzmiało jak chór dziecięcy. Kudłaty (jak można było przypuszczać) wokalista żegnał swoją utraconą miłość zapewnieniami, że zrobi wszystko, żeby żyć dalej tak jak przedtem, choć przecież jego dłonie krwawią, pocięte ostrymi odpryskami roztrzaskanych marzeń. Piosenka kończyła się fragmentem ewidentnie improwizowanego zawodzenia, cichnącego w oddali razem z całym podkładem.

Jean-Pierre podszedł do wieży, wyjął płytę z odtwarzacza i schował ją z powrotem do torby.

– Dziękuję ci za tę piosenkę – powiedziała Veronique.

– Podobała ci się?

– Czasem dobrze robi, kiedy człowiek posłucha sobie jakiegoś rockowego kawałka, takiego w sam raz do samochodu na godziny szczytu. A nie przyniosłeś może tej piosenki Toto, jak jej tam, „Africa"? A może masz coś Foreignera albo REO Speedwagon?

– Nie – odpowiedział Jean-Pierre. – Mam przy sobie tylko to jedno nagranie.

– Ale powiedz mi – Veronique w dalszym ciągu była przekonana, że puszczając tę piosenkę, Jean-Pierre chciał jej coś powiedzieć, i starała się zrozumieć, o co mu chodziło – dlaczego spośród tylu innych piosenek wybrałeś właśnie tę?

– O, Boże – jęknął, zamykając oczy.

– Jean-Pierre, czy chcesz może coś mi powiedzieć?

Odparł, nie otwierając oczu:

– Ta piosenka...

– Tak?

– ...nosi tytuł „Like A Soldier (Of Shattered Dreams)"*.

– Spodziewałam się czegoś takiego w tytule.

– W Niemczech dotarła na szóste miejsce list przebojów.

– To wspaniale. Gratuluję kapeli. Nie wiedziałam tylko, że śledzisz tak uważnie niemieckie listy przebojów.

– Bo nie śledzę. To znaczy, zazwyczaj tego nie robię. – Jean-Pierre otworzył oczy, spojrzał prosto w twarz Veronique, po czym wyrecytował jednym tchem: – Błagam, nie gniewaj się, ale ja to napisałem.

Przyniósł jej szklankę wody, która nagle stała się bardzo potrzebna, a kiedy zaczynała kaszleć i krztusić się szaleńczym śmiechem, który ją porwał, poklepywał ją po plecach, żeby nie wypluła płuc. Zanim odzyskała mowę, upłynęło dobre pół godziny. Jej pierwsze słowa brzmiały:

– A więc masz przebój na niemieckich listach.

– Tak. To znaczy, mamy – poprawił się, a uszy płonęły mu ze wstydu. – Napisałem to z bratem.

Brat Jeana-Pierre'a mieszkał niedaleko, pod miastem. Grał głównie na bębnach. Od kilku lat zarabiał na życie, wynajmując się jako muzyk sesyjny oraz grywając po knajpach i kurortach całej Europy. Na scenie wcielał się w Beva Bevana z Le Leger Orchestre Électrique, a także – jednocześnie! – w Stevena Adlera i Matta Soruma z Flingues et Roses (w połowie wykonywania „November Rain" zmieniał peruki). Jean-Pierre wyjaśnił Veronique, że ułożyli razem kilka piosenek: przeważnie wyglądało to tak, że on pisał słowa, a brat na akustycznej gitarze komponował muzykę.

* „Jak żołnierz (na gruzach marzeń)".

Już prawie rok temu w tajemnicy przed wszystkimi zaczęli wysyłać taśmy ze swoimi nagraniami do różnych zespołów i wytwórni muzycznych. I nagle coś zaskoczyło: niemiecka kapela rockowa wzięła na warsztat „Like A Soldier (Of Shattered Dreams)". Piosenka wystartowała na listach przebojów przed kilkoma dniami.

– Gratuluję ci – powiedziała Veronique.

– Wcale tak nie myślisz – odrzekł Jean-Pierre.

– Mówię poważnie!

– Ale to jeszcze nie wszystko. – Jean-Pierre zwiesił głowę na piersi. – Będą to promować w całej Europie: w przyszłym tygodniu w Skandynawii, a potem we Włoszech, w Hiszpanii i w ogóle wszędzie... Może nawet u nas, we Francji, na początku przyszłego roku. A kapela przymierza się, żeby umieścić dwie nasze piosenki na swojej następnej płycie.

– Jean-Pierre – przerwała mu Veronique. – Posłuchaj mnie uważnie. Gratuluję ci szczerze. Napisałeś przebój!

– To znaczy, że nie jesteś na mnie zła?

– No chyba, że nie. Niby za co?

– Przecież to oczywiste.

– A niby czemu to takie oczywiste?

– Byłem przekonany, że nie spodoba ci się, że poszedłem w stronę komercji.

– Czemu?

– Bo ty... Ty jesteś taka, jaki ja przez całe życie starałem się być. Jesteś artystką nieuznającą kompromisów, a ja co? Proszę – zabrałem się do pisania rockowych pierdółek do radia. Sprzedałem się.

– Trzeba jakoś zarabiać na siebie, zwłaszcza kiedy się ma twoje lata. Świetnie ci się ułożyło. Pierwszy raz w życiu zarobisz trochę forsy.

– Ale i tak wolałbym być bardziej taki jak ty. Pamiętasz, jak pogoniłaś tamtych ludzi, którzy cię opadli zaraz po twojej wystawie? To było fantastyczne.

Veronique wróciła pamięcią do zdarzenia, o którym mówił Jean-Pierre. To było mniej więcej w tym czasie, kiedy go poznała. Odezwali się do niej ludzie z jakiejś agencji. Propozycji pracy miała do wyboru: mogła robić zdjęcia klasowe w szkołach, pamiątkowe fotografie ślubne, ilustracje do kalendarzy i plenery do tanich czasopism. Odrzuciła z oburzeniem wszystkie te oferty, absolutnie pewna, że pozytywne opinie, jakie zebrała jej wystawa, przełożą się wkrótce na całą masę różnych lukratywnych zleceń, które będzie mogła realizować według własnego widzimisię. Przypomniawszy sobie teraz o tym, uznała, że lepiej będzie nie przyznawać się Jeanowi-Pierre'owi, przez jak długi czas wyrzucała sobie potem, że nie wykorzystała tamtych kontaktów. Każdego dnia spędzonego w pracy żałowała gorzko, że nie fotografuje w tej chwili kociąt w koszykach na kartki pocztowe albo kobiet po sześćdziesiątce w towarzystwie nastoletnich małżonków o tępym spojrzeniu, na zamówienie jakichś tam tygodników. Przynajmniej pracowałaby z aparatem, choćby ceną za to miało być fotografowanie bzdetów. Bo jeśli już o tym mowa, to jej obecna wystawa w Hiszpanii nie zwróci nawet kosztów tamtej sesji z Césarem. Gdyby teraz dano jej możliwość pracy w zawodzie fotografa, będącej odpowiednikiem tego, co zrobił Jean-Pierre, czyli w praktyce polegającej na trzaskaniu przeciętnych zdjęć dla pieniędzy – zgodziłaby się bez namysłu. Ale oczywiście Veronique nie miała najmniejszego zamiaru przyznać mu się do tego.

– Naprawdę świetnie ci poszło – powiedziała. – Jestem z ciebie bardzo dumna.

– Dzięki. Tylko błagam cię, nie mów o tym nikomu. Jakby to się rozeszło, już nigdy nie mógłbym się nigdzie pokazać.

– Nie powiem – uśmiechnęła się do siebie. Żaden problem, pomyślała, mam przecież dość własnych sekretów. – A wiesz co?

– Słucham cię.

– Zagraj to jeszcze raz, Jean-Pierre.

Jean-Pierre sięgnął do swojej torby, wstał, podszedł do wieży i nastawił płytę. Tym razem Veronique wyśpiewała już cały refren razem z nagraniem. Wciąż była bardzo zdziwiona tym, czego się dowiedziała: Jean-Pierre ją podziwiał. A przecież zawsze myślała, że skrycie nią pogardza i uważa za istotę niższego rzędu, tymczasem on od początku szanował ją jako artystkę. Co prawda w zabawny sposób jej to okazał, ale uznała, że to nie jest dobry moment, żeby się tym przejmować.

Kilka kieliszków wina później Jean-Pierre zdecydował się na ciąg dalszy swojej spowiedzi.

– A wiesz, ta moja piosenka... – zaczął.

– Wiem. – Veronique znała ją już całkiem nieźle, bo puścił płytę jeszcze sześć razy.

– Wiesz, skąd się wzięły słowa?

– Nie. Opowiedz mi, skąd się wzięły słowa.

– To było, kiedy chodziliśmy już ze sobą trzy miesiące. Zacząłem sobie wyobrażać, jak bym się poczuł, gdybyś ode mnie odeszła. Wiem, że to tylko głupia piosenka, ale uwierz mi – było mi strasznie przykro, kiedy pomyślałem, że mogłabyś mnie zostawić dla innego faceta.

Veronique przypomniała sobie, że już raz kiedyś Jean-Pierre napisał coś dla niej, z tym że wtedy nie zorientowała się, o co chodzi. Siedzieli razem w jego mieszkaniu, był wieczór, a on dął w ten swój ogromny saksofon, wydobywając z niego jakieś mało konkretne szmery. Myślała, że go dopiero stroi albo przedmuchuje, ale on nagle skończył, odłożył instrument i powiedział:

– Napisałem to dla ciebie.

– Piękne – odpowiedziała mu. – Dziękuję.

Tym razem była jednak autentycznie wzruszona. W końcu kupa dźwięków bez ładu i składu, wymęczonych, choćby nawet specjalnie dla ciebie, na monstrualnych rozmiarów saksofonie to jedna rzecz, ale jeżeli ktoś, zainspirowany twoją osobą, pisze płynącą mniej więcej z okolic serca rockową balladę, to już coś zupełnie innego. Ogólnie rzecz biorąc, nie był to najwspanialszy komplement na świecie, ale obrany kierunek wydawał się jak najbardziej prawidłowy.

– A kiedy odeszłaś naprawdę, poczułem się gorzej niż ten facet z piosenki.

Veronique nie wiedziała, co powiedzieć. Znów, jak ostatnio dosyć często, zalała ją fala wyrzutów sumienia. Wyrzucała sobie, jak mogła za plecami Jeana-Pierre'a pójść z obcym facetem do łóżka. Nie miała bladego pojęcia, że była kochana. Gdyby tylko zdawała sobie z tego sprawę, za nic w świecie nie postąpiłaby tak nikczemnie.

– Ale przecież nie mogę wziąć od ciebie pieniędzy – zaprotestowała. Jean-Pierre przyznał, że jego tak nagła stabilność finansowa istotnie nastąpiła za przyczyną pierwszej raty zaliczki, którą wytwórnia fonograficzna właśnie dziś przelała na jego konto. Nie była to jakaś wielka fortuna, ale na pomoc dla Veronique mogło wystarczyć w zupełności.

– Musisz kupić nowy samochód – przekonywał ją – a przez te kilka dni nie uzbierasz tyle pieniędzy. Czy może masz jakiś pomysł? To jedyny sposób. Sytuacja jest kryzysowa. Nie uśmiecha mi się, żebyś wylądowała w więzieniu, a nie pozwolę, żebyś ukradła mi z domu coś jeszcze.

– Ale ty tak ciężko pracowałeś nad tą piosenką...

– Zawsze możesz wszystko mi spłacić, kiedy będziesz przy forsie.

– Będę się lepiej czuła z taką świadomością.

– No i dobrze. Zresztą i tak jestem ci winien przysługę.

– Naprawdę?

– Jak najbardziej. Przypomnij sobie, ile forsy wyciągnąłem od ciebie w ciągu ostatnich kilku miesięcy. Wciąż tylko pożyczałem, chociaż wiedziałem, że dla ciebie to duży wydatek. No i tak naprawdę to wcale nie potrzebowałem aż tyle, bo nie przymierałem głodem ani nic z tych rzeczy. Cała kasa lądowała prosto w kieszeni u Chińczyka.

Veronique zawsze wyobrażała sobie dilera, do którego chodził Jean-Pierre, jako egzotycznego starca w powłóczystych szatach i z długą, rozwichrzoną brodą, ale kiedy już spotkała go osobiście, okazało się, że facet jest lekko rudawy, mieszka w Le Mans, nazywa się Fabien i nigdy w życiu nie postawił stopy poza granicami Francji, nie mówiąc już o dalekiej podróży do Kraju Środka.

– Wciąż mam z tego powodu wyrzuty sumienia – ciągnął Jean-Pierre. – No, ale teraz koniec z nabijaniem portfela Chińczykowi.

– A co, przestajesz palić zioło?

– Przestać? W życiu. Ale trochę przystopuję. Od dziś będę się upalał najwyżej dwa razy w tygodniu. – Zastanowił się przez chwilę. – Albo może trzy razy. – Przemyślał sprawę jeszcze przez jedną chwilę. – Czasami pewnie cztery. Ale na pewno nie codziennie.

Veronique bardzo to odpowiadało. Jean-Pierre przesadzał z paleniem ziela, co z kolei, jak podejrzewała, prowadziło do tego, że powoli robił się niemożliwie nudny.

– To, co wydarzyło się ostatnio – mówił dalej – otworzyło mi oczy na wiele spraw. Tyle rzeczy w moim życiu muszę zmienić... Zasłużyłem sobie na to, żebyś ukradła mi tę wieżę. To mi dobrze zrobiło.

– Ale ja tego żałuję. Nie daje mi to spokoju – powiedziała Veronique, lecz w głębi serca była zadowolona, że zdaniem Jeana-Pierre'a ma prawo pożyczyć od niego pieniądze bez wielkich wyrzutów sumienia. Nie potrzebowała obarczać go sobie dodatkowym balastem. – Niech będzie – ziewnęła. – Upłynnimy stary samochód i kupimy nowy. Oddam ci forsę, kiedy tylko będę mogła.

Po raz pierwszy od czasu katastrofy przespała całą noc.

Rozdział ósmy

– A więc nic ci już nie grozi – rzuciła Françoise, poprawiając żółtą, obszytą koronką szarfę, którą była przepasana w talii. – Zapewne nie posiadasz się z radości.

– O czym ty mówisz?

– Wygląda na to, że jednak policja cię nie drapnie.

– A za co miałaby mnie drapnąć?

– Jak to: za co? Za zabójstwo księżnej Diany.

– Prawda, zapomniałam. Przecież to podobno moja sprawka. Jakim cudem nagle znikłam z listy podejrzanych? – Ironiczny ton był tylko pozorem, bo tak naprawdę Veronique wychodziła ze skóry, żeby Françoise opowiedziała jej wszystko, o czym słyszała.

– Złapali kierowcę tamtego białego fiata.

– Złapali? – Veronique nie mieściło się to w głowie. Przecież ona, kierowca wozu, o którym była mowa, siedziała tutaj, w swoim biurze, a nie w klitce do przesłuchań. Nikt nie świecił jej lampą prosto w oczy ani nie pobierał próbek DNA łyżeczką z jelita prostego.

– Tak. Rzecz jasna, to obcokrajowiec. Wietnamczyk. Zawsze powtarzam, że to źle, jak po kraju szwenda się pełno cudzoziemców, że nic dobrego z tego nie będzie. No i proszę, co my tu mamy? Zagraniczny samochód i kierowca nie-Francuz. I co się dzieje, gdy połączyć jedno z drugim? Od razu musi zginąć księżna. Wściec się można. – Françoise jakby zapomniała, że sama księżna także była cudzoziemką, nie wspominając już o jej kochanku, który nie miał w sobie doprawdy nic z Francuza. Spośród wszystkich ofiar wypadku szanse sprostania jej surowym kryteriom narodowościowym miał jedynie kierowca, który, pijany w trupa, prowadził ten niemiecki samochód. – Zawsze mówiłam – ciągnęła Françoise – że Jean-Marie Le Pen to facet z głową. Gdyby to on był przy władzy, nic takiego nie mogłoby mieć miejsca.

Veronique nagle olśniło. Wiedziała już, gdzie Françoise kupuje te swoje ciuchy. Na wyprzedażach, które skrajnie prawicowe partie organizują na swoich wiecach w celu zbiórki pieniędzy! Kiedy kamery telewizyjne łapały w reportażach faszystów z przedmieść, każdy z nich nieodmiennie prezentował skandaliczną ignorancję, mówił nieprzyjemnym, natarczywym głosem, w szczególności zaś wyróżniał się z tłumu dzięki totalnemu brakowi zmysłu kolorystycznego w ubiorze oraz zamiłowaniu do lumperskich tkanin. Ostateczny efekt był fatalny i całkowicie neutralizował demonstracyjnie okazywane przez tych ludzi poczucie wrodzonej wyższości. Veronique poczuła wielką ulgę, że nareszcie udało jej się rozwiązać zagadkę, nad którą bezskutecznie biedziła się od miesięcy, ale w tej chwili musiała koniecznie dowiedzieć się czegoś więcej o tym biedaku, którego aresztowała policja.

– A ty, Françoise, jak sądzisz? – zagadnęła. – Złapali tego, kogo trzeba?

– Facet miał białego fiata uno i przemalował go zaraz następnego dnia po wypadku. Do tego Wietnamczyk. Potrzebne ci jeszcze jakieś dowody?

Ale Veronique nadal nie mogła tego rozgryźć, nawet pominąwszy neonazistowskie akcenty krótkiego wywodu Françoise. Zaczęła się zastanawiać. Może przypadkiem wymyśliła sobie to wszystko? A może ten wypadek, w którym brała udział, to wcale nie była ta słynna katastrofa? Jednak im dłużej nad tym myślała, tym silniej nasuwał jej się jeden wniosek: gdzieś tam w Paryżu w areszcie siedzi biedny, wystraszony i całkowicie niewinny człowiek. Nagle przyszła jej do głowy straszna myśl.

– A jeśli to jest tata Phuong? – wyszeptała do siebie.

– Co proszę? Że niby czyj ojciec?

– Nie, nic. Mówiłam do Marie-France. – Veronique pogłaskała liście swojej roślinki.

– A wiesz co? – westchnęła Françoise. – Najbardziej to mi żal księcia Edwarda. To taka wrażliwa dusza. Cóż za koszmar on musi w tej chwili przeżywać, biedaczek!

– Wychodzę na obiad – przerwała jej Veronique i pospiesznie wyszła z biura. Na ulicy rzuciła się biegiem w kierunku butiku, w którym pracowała Estelle, odległego o dwa kilometry, z każdym krokiem błogosławiąc swoją przezorność, dzięki której nie przyszła dziś do pracy na szpilkach.

Pędziła ulicami, potrącając przechodniów i potykając się o krawężniki. Trąbili na nią kierowcy i klęli rowerzyści, bo jedni musieli ostro hamować, żeby jej nie rozjechać, a drudzy gwałtownie skręcać, żeby nie zrobić przy okazji krzywdy i sobie. Po drodze Veronique ułożyła plan: aby nie wzbudzać podejrzeń, postanowiła udać zwyczajną klientkę eleganckiego butiku, która przyszła wybrać coś dla siebie. W ten dyskretny sposób miała nadzieję zwabić Estelle w jakiś ustronny kącik, gdzie mogłaby zwierzyć jej się ze wszystkiego.

Kiedy dotarła na miejsce, jej twarz zdążyła przybrać dostojny kolor kardynalskiej purpury, a płuca bolały ją tak, jakby za chwilę miały pęknąć. Dostrzegłszy Estelle stojącą za ladą, podeszła do niej z najbardziej swobodną miną, na jaką było ją w tej chwili stać.

– Przepraszam panią – powiedziała. – Chciałabym... – Przerwała na chwilę, dysząc i sapiąc, nie mogąc dobyć głosu. – Chciałabym przymierzyć... – zaczęła ponownie i znów urwała, rzężąc chrapliwie. Zgięła się wpół i złapała ręką za serce. Pomyślała, że chyba jeszcze nigdy w życiu nie była tak potwornie zziajana. Kilka kobiet przechadzających się wśród wieszaków zaczęło rzucać w jej stronę zaniepokojone spojrzenia, w których było nieme pytanie: czy nie trzeba zadzwonić po pogotowie? W końcu Veronique, zebrawszy siły, wyrzuciła z siebie jednym tchem:

– Chciałabym przymierzyć tę sukienkę. – I machnąwszy dłonią w stronę najbliższego wieszaka, zaniosła się straszliwym kaszlem.

– Służę, madame – powiedziała Estelle, zdejmując z drążka kusą sukieneczkę za dziesięć tysięcy franków. – Proszę za mną.

Veronique poczuła, że po raz pierwszy od czasów szkolnych łapie ją kolka. Poczłapała za Estelle, jęcząc boleśnie, kłoniąc się na jedną stronę i ściskając za bok.

– No, jak to wyszło? Myślisz, że ktoś zauważył, że nie jestem zwykłą klientką? – szepnęła, kiedy Estelle zamknęła za nimi drzwi kabiny w przymierzalni.

– Nikt. Bezbłędnie wtopiłaś się w tło. Co się dzieje?

– Widziałaś się ostatnio z Phuong?

– Nie, bo wyjechała.

– Dokąd?

– Chyba do starożytnego Egiptu.

– Starożytnego?

– Aha. Pisze o papirusach czy o skarabeuszach albo czymś takim. A czemu pytasz?

– Bo chyba przeze mnie jej tato wylądował w areszcie.

– Oj, to niedobrze. – Obie były do szaleństwa zakochane w tacie Phuong. – Coś ty znów narobiła?

– Przesłuchują go, bo podobno... – Veronique ściszyła głos jeszcze bardziej – ...podobno tamtej nocy jeździł po mieście białym samochodem. Kumasz?

Estelle zrozumiała enigmatyczną wypowiedź przyjaciółki.

– Jesteś pewna, że to jego zdjęli?

– Przecież to Wietnamczyk.

– Ale nie jedyny w Paryżu. Jest ich tutaj kilku.

– No dobrze, ostatecznie to wcale nie musi być tata Phuong. Ale jeśli ją wyniosło gdzieś do starożytnego Egiptu, to w jaki sposób się dowiemy, czy to on czy nie?

– Możesz przecież do niego zadzwonić.

– No, świetny pomysł – zadrwiła Veronique, mrużąc ironicznie oczy. – I co mu powiem? Dzień dobry, czy nie siedzi pan przypadkiem w areszcie pod zarzutem zabójstwa księżnej Diany?

– Tego mu nie powiesz, ale możesz zadać tej osobie, która odbierze, jedno proste pytanie: czy może mi pan albo pani podać aktualny adres Phuong w starożytnym Egipcie? I tak od słowa do słowa, zaczniecie rozmawiać na tematy ogólne. A jeśli jej tato odbierze osobiście, to od razu będziesz wiedziała, że nie siedzi w areszcie.

– No tak. Wiesz co, to jest w sumie niezły pomysł. Przepraszam, że tak cię wyśmiałam, ale zresztą sama chyba widzisz, że zaczynam gonić w piętkę.

– Faktycznie. Dopiero zaczynasz.

– Mam w notesie zapisany numer do rodziców Phuong. Zaraz pójdę do budki i zadzwonię.

– A sukienka, madame? Zdecyduje się pani na nią?

Veronique kompletnie wyleciało to z głowy. Zmierzyła kreację wzrokiem.

– Raczej nie. Jak na mój gust za bardzo zdzirowata.

Znalazła budkę telefoniczną i wykręciła numer. Odebrała mama Phuong. Sądząc po głosie, była w jak najlepszym humorze. Podała Veronique adres Phuong, która mieszkała obecnie w Kairze, po czym wdała się w długą opowieść o tym, że wraz z mężem wybierają się do niej w odwiedziny. Veronique, zauważywszy, że kończą jej się monety, szybko zapytała o tatę Phuong i dowiedziała się, że ma się świetnie, a w tej chwili właśnie maluje sufit w łazience na piętrze.

– A czy pani mąż dalej jeździ tym samym starym samochodem? – Veronique udała zaciekawienie.

– On nie ma prawa jazdy – poinformowała ją mama Phuong. – Nie umie prowadzić samochodu, a ma czelność nazywać siebie mężczyzną...

– Rozumiem – powiedziała Veronique. – Musiałam go z kimś pomylić. Proszę pozdrowić męża ode mnie.

Wyszła z budki i skierowała się z powrotem do swojego biura. Rozpierała ją radość, która jednak ulotniła się w jednej chwili, kiedy Veronique przypomniała sobie, że z jej winy ktoś zupełnie nieznajomy ma dzisiaj bardzo pechowy dzień i że nic nie zmieni tego faktu, nawet skądinąd pomyślna wiadomość, że tata Phuong maluje w najlepsze sufit w łazience. Poczuła, że ma już tego wszystkiego serdecznie dosyć.

Postanowiła dotrwać w pracy do końca dnia, a potem iść do domu, zobaczyć się z Césarem, przebrać w jakieś wygodne ciuchy i zadzwonić na policję. Kiedy zaprowadzi funkcjonariuszy do garażu i pokaże im na wpół rozebranego fiata, od razu ją aresztują, a tamtego biedaka wypuszczą. Veronique miała już po same uszy swojego tchórzostwa i zdecydowała, że nadszedł czas, aby stawić czoło konsekwencjom tego, co zrobiła.

Kiedy pojawiła się z powrotem w biurze, Françoise nie posiadała się z zadowolenia na widok jej totalnie przybitej miny. Veronique wzięła zdjęcie swojego bratanka i bratanicy, w których żyłach płynęła krew Czarnego Lądu, i ustawiła je tak, żeby rzucało się koleżance w oczy. Zrobiła to celowo, po to, żeby za każdym razem, kiedy Françoise spojrzy w stronę jej biurka, musiała chcąc, nie chcąc, oglądać dwa wzorcowe egzemplarze zanieczyszczenia jej ukochanej francuskiej rasy dokazujące na zjeżdżalni i niebywale wprost urocze.

Przywitała się z Césarem i poszła pod prysznic, a kiedy wyszła, przebrała się w wygodniejsze ubranie, żeby mieć choć trochę komfortu na przesłuchaniu: dżinsy, adidasy i koszulkę z krótkim rękawem, na którą naciągnęła gruby pulower – to na wypadek, gdyby wylądowała w zimnej celi. Zeszła na dół i zaparzyła sobie kawę. Zapowiadała się długa noc.

Włączyła jeszcze radio, żeby sprawdzić, czy nie dowie się czegoś nowego o tym biednym Wietnamczyku. I dowiedziała się. Wypuszczono go z aresztu, a ponadto oczyszczono z wszelkich podejrzeń dotyczących jego udziału w wypadku. Tamtej nocy był w pracy, a jego samochód zbadała wszechobecna komisja ekspertów, która orzekła, że nigdy nie zderzył się on z niczym, a już zwłaszcza z drugim samochodem, w którym na dodatek zginęła jakaś księżna. Poszukiwania kierowcy małego białego samochodu znów ruszyły pełną parą.

Veronique właściwie nie miała wielkiej ochoty spędzić nocy na twardym krześle, przywiązana do oparcia i szprycowana serum prawdy, więc była bardzo zadowolona, że może sobie zamiast tego po prostu posiedzieć w domu. Im dłużej się nad tym zastanawiała, tym mniej pociągająca wydawała jej się perspektywa przyznania się do winy, publicznych prześladowań i długiej, niewesołej odsiadki. Postanowiła zrobić sobie wolny wieczór; kiedy zadzwonił Jean-Pierre, zaprosiła go do siebie, żeby mieć towarzystwo.

Choć Veronique planowała w ten wieczór odciąć się na ile tylko było można od bieżących wydarzeń, Jean-Pierre koniecznie chciał obejrzeć program o najnowszych postępach w śledztwie. Zaprezentowano w nim za pomocą nowej, zmyślnej animacji komputerowej różne hipotezy dotyczące przebiegu zdarzeń. Wystąpiła także para świadków, którzy potwierdzili wiarygodność dowodu, jakim były odpryski farby; zeznali oni mianowicie, że słyszeli huk, który towarzyszył katastrofie, a zaraz potem zobaczyli, jak z tunelu wyjeżdża biały fiat uno. Prowadził go mężczyzna, który według nich miał wyglądać na zmartwionego.

– Co takiego? – zdziwiła się Veronique. – Nie jestem mężczyzną!

– Daj spokój, nie unoś się – powiedział Jean-Pierre. – To odsunie od ciebie podejrzenia.

– No tak. Pewnie masz rację. – Veronique była pewna, że Françoise ogląda ten program, a te nowe informacje zmylą ją i sprowadzą z tropu. No, ale jednak...

– Co? – wrzasnęła, tym razem oburzona do żywego. – César to nie jest żaden owczarek niemiecki!

– Ponownie zachęcam cię do spojrzenia na to z innej strony. Masz naprawdę sporo szczęścia.

– Wiem, ale sam pomyśl: owczarek niemiecki? Owczarek? Rozumiem, mogli powiedzieć, że z tyłu jechał duży pies, ale skąd im się wziął ten owczarek i to niemiecki? Nie dbam o to, jak mnie pokażą media, ale César nie zrobił niczego złego i nie zasługuje na takie szkalowanie.

– Są ludzie, dla których wszystkie duże psy wyglądają tak samo. Nadal uważam, że powinnaś być wdzięczna losowi.

Jedna rzecz była dziwna w tym programie: wydawało się, że tamtej nocy prawie nikogo nie było w pobliżu miejsca katastrofy, a w miarę jak program się ciągnął, stawało się jasne, że tak naprawdę każdy ze świadków niewiele widział. Ich zeznania były zawsze w tym czy innym fragmencie sprzeczne ze sobą i nawet realizator wciąż zdawał się wątpić, czy na takich dowodach można polegać i czy sami świadkowie to nie są przypadkiem jakieś oszołomy, których nigdy nie brak tam, gdzie toczy się głośne śledztwo.

Jean-Pierre wyłączył telewizor.

– Nie wydaje mi się, żeby to mogło utrudnić realizację naszego planu X.

– A co to takiego plan X?

– Ee... – zająknął się Jean-Pierre, do którego dopiero teraz dotarło, że nie zastanowił się nad tym, co mówi. – Wymyśliłem taką nazwę dla tego, czym się obecnie zajmujemy. Wiesz, pozbycie się samochodu i te rzeczy. – Zrobił zakłopotaną minę. – Może być?

– Nazwa? Świetna! – Veronique żałowała, że od początku nie

mówili na to „plan X”. Ale byłaby zabawa! – Powiedz mi tylko jedną rzecz, ale tak szczerze: czy ja wyglądam jak facet?

– A myślisz, że siedziałbym tu z tobą, gdybyś wyglądała jak facet?

– Ale tamtej nocy sporo wypiłam. Może jak jestem na bani, to zaczynam tak wyglądać.

– W niczym nie przypominasz faceta, ani na trzeźwo, ani po pijaku.

– No dobrze, ale na wszelki wypadek zacznę zapuszczać włosy.

– Nieważne. Pewnie chciałabyś usłyszeć o tym, co zdziałałem w kwestii realizacji planu X.

– Ale o co w ogóle chodzi? Chcesz powiedzieć, że wyciągniesz mnie raz na zawsze z kłopotów?

– Taką mam nadzieję. Popytałem tu i ówdzie i teraz już wiem, jak pociąć samochód na bardzo małe części.

– Jak to? I nic się nie wydało?

– Poszło mi łatwiej, niż się spodziewałem. Zapałałem nagłym zainteresowaniem dla rzeźby postindustrialnej. Rozpytałem się wśród znajomych z bohemy. Okazało się, że pierwszą rzeczą, jakiej uczą na kursach tej rzeźby, jest rozbiórka samochodu. Właściwie to żadna filozofia, nawet ośmiolatek dałby sobie radę, musiałby tylko pamiętać, żeby nie wysadzić baku w powietrze. No i udało mi się umówić z jednym gościem, który pożyczy mi cały sprzęt na kilka dni. Jutro go przywiozę i biorę się do roboty.

– Jean-Pierre... – Veronique już miała powiedzieć „Kocham cię”, ale w porę ugryzła się w język – ...dajesz słowo, że nie wyglądam jak facet?

– Obrażasz moją dziewczynę.

– Sorry.

Jean-Pierre uśmiechnął się.

– Coś ci puszczę. Usiądź sobie i posłuchaj.

Właśnie otrzymał pocztą promocyjne nagranie drugiej piosenki, którą napisali z bratem na płytę kapeli z Niemiec. Nosiła ona tytuł „When We Made Love (I Thought It Would Last Forever) *. Jean-Pierre był bardzo zadowolony, że wszystko tak się ułożyło.

* Kochaliśmy się (i myślałem, że to będzie trwać wiecznie).

Rozdział dziewiąty

Żeby zebrać się w komplecie, nie potrzebowali specjalnie umawiać się z wyprzedzeniem. Jean-Pierre nie miał stałej pracy, Estelle już wcześniej wzięła sobie dzień wolny, César był tylko psem i właściwie wszystko mu pasowało, a Veronique zadzwoniła do biura i powiedziała, że dziś nie przyjdzie, bo jest chora. Nie bała się, że wszystko może się wydać i wyleci z pracy, bo i tak planowała znaleźć sobie nową, mniej nudną, lepiej płatną, no i przede wszystkim taką, gdzie nie miałaby Françoise za sąsiadkę. Odkąd policja wypuściła tamtego Wietnamczyka, nie było dnia, żeby Françoise nie przebąkiwała, że nosi się z zamiarem poinformowania detektywów prowadzących śledztwo o osobie Veronique, „żeby oddalić od ciebie wszelkie podejrzenia", jak się wyraziła. Veronique zaś codziennie musiała dziękować koleżance za pamięć i troskę, jednocześnie zwracając jej uwagę na fakt, że skoro nikt jej dotąd o nic nie podejrzewa, to nie potrzeba niczyich starań, aby ją od podejrzeń uwolnić.

A teraz całą czwórką jechali samochodem, który został zakupiony specjalnie z myślą o Françoise. Niedaleko mieszkania Jeana-Pierre'a Veronique zauważyła niedawno wywieszkę informującą, że ktoś ma fiata uno na sprzedaż. Był to model o trzy lata nowszy od tego, który, pocięty na żyletki, wypełniał w tej chwili szczelnie jego bagażnik, był on też w lepszym stanie niż ten biały kaszlak, którego rodzice Veronique zostawili w garażu, wyjeżdżając. Ale największe znaczenie miało to, że był jasnopomarańczowy.

Nigdy nie zdawała sobie sprawy, że peryferie Paryża to takie wspaniałe miejsce. Jej dom stał wśród takich samych wolno stojących, jednorodzinnych domków, ani za dużych, ani za małych, zupełnie różnych, a jednak w jakiś sposób do siebie podobnych, każdy z nich zaś oddzielały od sąsiedniego murki, parkany i żywopłoty. Veronique od dzieciństwa kręciła nosem, że mieszka w okolicy, w której praktycznie nie ma życia, ale ostatnie wypadki nauczyły ją, że nie ma nic lepszego, kiedy nie chce się zwracać uwagi na swój samochód. Gdy w telewizji zaczęło się mówić o tajemniczym białym fiacie, była prawie pewna, że jej sąsiedzi od razu polecą na policję, a tymczasem nie doczekała się niczego w tym stylu. I nic dziwnego, przecież jej samochód wyróżniał się w okolicy jedynie tym, że był troszeczkę przechodzony. Rodzice Veronique byli już o krok od emerytury i kiedy mieli trochę pieniędzy, to zamiast wydawać je na jakiś wypasiony wóz, woleli raz czy dwa razy do roku odwiedzić syna i jego rodzinę w Afryce. Nawiasem mówiąc, ten podstarzały gruchocik odstawał nieco od aut sąsiadów, ale i tak nikt nie zwracał na to najmniejszej uwagi, poza tym nie należało bynajmniej do rzadkości, że nieposłuszne córki, takie właśnie jak Veronique, dostawały od rodziców niezbyt szpanerskie samochody w rodzaju starych modeli fiata albo citroena. Na ulicy, przy której mieszkali, widok takiego skończenie anonimowego wehikułu był czymś absolutnie zwyczajnym.

Kiedy tamten biały fiat po raz pierwszy pojawił się w okolicy, nikt nawet się za nim nie obejrzał. Veronique jeździła nim na lotnisko albo do Jeana-Pierre'a – i ani jedna osoba nie zwróciła na nią uwagi. A kiedy ni stąd, ni zowąd biały fiat przestał wyjeżdżać z jej bramy, nie zastanowiło to nikogo. Trudno byłoby o lepszych sąsiadów, jak również o mniej rzucający się w oczy samochód.

Przez cały poranek jeździli po mieście, zatrzymując się przy coraz to innym parku, gdzie udając, że wyprowadzają Césara (który pod koniec tych obchodów wlókł się już z nosem przy ziemi), wyrzucali torby pełne złomu do kosza, siląc się na możliwie najbardziej obojętne miny. Po obiedzie jasnopomarańczowy fiat zniknął w garażu, aby rozwieźć kolejny ładunek reklamówek. Wyjechał z niego, kierując się w stronę podmiejskich wsi; był to jego czwarty i ostatni kurs tego dnia. Za kierownicą zasiadła Estelle, bo bardzo się upierała, żeby prowadzić. Veronique skuliła się z tyłu, przywalona chrapiącym bernardynem, a Jean-Pierre zajmował miejsce z przodu. Wciąż był jeszcze nieco skołowany po dwóch dniach zmagań z morderczą piłą tarczową, która bardzo wdzięcznie wypruła bebechy ze starego fiata, ale wytrzęsła przy okazji swojego operatora do najmniejszej kosteczki. Jean-Pierre cieszył się, że w końcu mógł zdjąć gogle ochronne i nauszniki. Poza tym pracował w zaduchu, nie mogąc otworzyć drzwi do garażu, ponieważ bał się, że może go zauważyć jakiś żandarm patrolujący okolicę na rowerze albo że sąsiedzi zaczną się skarżyć na zgrzyty i hałasy. To była straszna praca.

Zatrzymywali się w wioskach, miasteczkach, w każdym zajeździe i na każdym parkingu, który mijali po drodze – we wszystkich miejscach, gdzie udając, że przystanęli dla rozprostowania nóg, mogli zostawić w śmietniku jedną albo dwie reklamówki. Ostatnią wrzucili do kosza w niewielkim parczku w miejscowości Étampes, po czym udali się do pobliskiego baru, żeby to dyskretnie uczcić. Veronique i Jean-Pierre pili gin z tonikiem, a Estelle zamówiła oranginę, napój pomarańczowy.

– Żebym przypadkiem po drodze do domu nie zabiła jakiejś księżnej – tłumaczyła się.

Kiedy wrócili do Paryża, było już całkiem ciemno. Veronique wysiadła, żeby otworzyć drzwi do garażu. Nagle kątem oka zauważyła, że po przeciwnej stronie ulicy stoi samochód, a w nim siedzi ktoś i przygląda się jej uważnie. Oparcie siedzenia dla pasażera było odchylone. Widać było, że kierowca sądzi, iż kryje go cień. Przeliczył się jednak. Nie czekając, aż Estelle wjedzie do garażu, Veronique przecięła ulicę i pochyliwszy się, zajrzała przez otwartą szybę od strony pasażera.

– Cześć, Françoise – powiedziała.

– O... cześć.

– Jak się miewasz?

– Dziękuję, świetnie. A ty?

– Też doskonale. Ty tutaj, o tej porze?

– Otóż właśnie.

– Dobranoc – powiedziała Veronique.

– Dobranoc.

Veronique ruszyła z powrotem przez ulicę. Kiedy była już w połowie jezdni, dobiegł ją sceniczny szept Françoise wołającej ją po imieniu.

– Françoise? – odwróciła się. – Wołałaś mnie? – Wróciła do otwartego okna.

– Przepraszam cię, Veronique – usłyszała.

– Za co?

– Wiesz za co. Za to, że cię śledziłam. Kompletnie zakręciło mi to w głowie.

– Ale teraz już wszystko wiesz.

– Tak. Ale to nie ty siedziałaś za kierownicą. Dlaczego nie prowadziłaś sama?

– A co to za różnica?

– Właściwie to żadna. Ale samochód jest twój?

– Zgadza się. To jest mój jasnopomarańczowy fiat. Ten, o którym ci mówiłam.

– A powiedz mi, tak z ciekawości... – powiedziała Françoise. – Czy on zawsze był taki pomarańczowy?

Widać było, że desperacko chwyta się wszelkich możliwości. Była dobrze przygotowana do tematu i musiała już się zorientować, że ten fiat nie odpowiada rocznikiem modelowi opisywanemu w śledztwie.

Veronique ujrzała w tym momencie prawdziwą twarz Françoise. Nie było to jednak dla niej żadne wielkie odkrycie, bo w końcu codziennie widziała prawdziwą twarz Françoise w pracy.

– Wiesz co, Françoise? – powiedziała.

– Słucham.

– Pierdol się. – Sprawiło jej to taką przyjemność, że aż powtórzyła: – Pierdol się, Françoise.

– Nie musiałaś tego mówić.

– Otóż właśnie musiałam.

– No, może masz troszeczkę racji. Ale posłuchaj mnie: zawrzyjmy umowę. Jeśli nie powiesz nikomu, że szpiegowałam pod twoim domem, to ja nie powiem w pracy, że wcale nie byłaś dzisiaj chora. Stoi? Nie powiem, że cały dzień ktoś cię woził samochodem razem z twoim psem i eksfacetem. Podobno eks.

– Niech ci będzie. – Veronique zapomniała, że wykręciła się dziś od pracy zmyśloną chorobą. A jej słuszne oburzenie – bo kto by się nie oburzył, dowiedziawszy się, że ktoś go śledzi? – i tak zaczynało już słabnąć. Poza tym Françoise miała całkowitą rację, podejrzewając ją o udział w katastrofie, no i była bliżej przyskrzynienia jej jako głównej winowajczyni niż którykolwiek z policyjnych detektywów prowadzących to śledztwo. – Umowa stoi, Françoise. Zapomnijmy o wszystkim.

Françoise wyprostowała siedzenie pasażera, uruchomiła silnik i odjechała bez słowa.

– Powiedz mi, Jean-Pierre – zapytała Estelle – jak znajdujesz swoje nowe powołanie, mam na myśli rzeźbę postindustrialną?

Jean-Pierre uniósł ręce, czarne od oleju i całe w zadrapaniach.

– Szczerze mówiąc, nie idzie mi najlepiej. Chyba dam sobie z tym spokój.

– I tak marnuje się kolejny obiecujący talent. Co za nieodżałowana strata.

– A propos. – Jean-Pierre nagle coś sobie przypomniał, wyszedł do garażu i po chwili wrócił, niosąc trzy kawałki pogiętego metalu. Wręczył po jednym Veronique i Estelle, a trzeci zatrzymał dla siebie.

– Hm – powiedziała Veronique. – A co to?

– Nie poznajesz? To są pamiątkowe popielniczki wykonane z fragmentów samochodu, o którym słyszał cały świat.

– A jeśli znajdzie je policja?

– Nie znajdzie – uspokoiła ją Estelle. – Udało ci się. Plan X zrealizowany. Nie musisz się już martwić o policję, śledztwo ani nic z tej parafii. Dla gliniarzy to jest złom. Stare, ohydne popielniczki.

– Hej – wtrącił się Jean-Pierre – włożyłem w nie mnóstwo uczucia i pieczołowitości.

– Wybacz. Chciałam powiedzieć, że w oczach policjantów to będą przepiękne dzieła użytkowej rzeźby postindustrialnej.

– Od razu lepiej. – Jean-Pierre skończył zaklejać olbrzymiego skręta. – Wiecie co, mam pomysł.

– O, nie – jęknęła Veronique. – Jaki?

– Posłuchajmy sobie muzy.

– Skoro nalegasz. – Wiedziała ponad wszelką wątpliwość, co chce włączyć Jean-Pierre, ale było jej wszystko jedno. No i w końcu pieniądze z tej muzyki ocaliły jej skórę. Zastanowiła się przez chwilę, czy niemieccy fani soft rocka nie przestaliby kupować tego singla, gdyby się dowiedzieli, na co poszło honorarium autora ich przeboju. Podliczając wszystko, była teraz winna Jeanowi-Pierre'owi około trzydziestu tysięcy franków. Co prawda on zapowiedział jej, że nie musi się spieszyć z oddawaniem, ale Veronique podjęła decyzję, że zacznie spłacanie tego długu już od najbliższej wypłaty. Usiadła wygodniej na krześle i podjęła melodię „Like A Soldier (Of Shattered Dreams)". Kiedy piosenka dobiegła końca, uniosła kieliszek, wznosząc toast:

– Sto lat, Veronique!

Jean-Pierre i Estelle skrzywili się unisono.

– No tak – powiedziała Estelle. – Właśnie. Wszystkiego najlepszego.

– Aha, wszystkiego najlepszego – chrząknął Jean-Pierre, robiąc zawstydzoną minę.

– Nie przejmujcie się – powiedziała Veronique. – Przecież nikt by nie zrobił dla mnie tyle co wy. Nie miałam prawa oczekiwać, że pomożecie mi pozbyć się samochodu i tak samo nie mogę wymagać, żebyście pamiętali o moich urodzinach. Wystarczy, że uczcimy pomyślne zakończenie realizacji planu X. Nie wiem nawet, jak wam dziękować, że nie zostawiliście mnie samej z całym tym pasztetem.

– Daj spokój, mieliśmy niezły ubaw – powiedziała Estelle.

– No – przytaknął Jean-Pierre, wciąż z dość niewyraźną miną. – Było super.

Estelle przeprosiła i wyszła na chwilę, a Jean-Pierre zaczął z całego serca przepraszać Veronique za swoją kulawą pamięć. Nagle zapaliło się światło i do pokoju wmaszerowała Estelle, niosąc monstrualnych rozmiarów tort, przybrany dwudziestoma trzema świeczkami. Zrobiła go własnoręcznie. Tort miał kształt małego białego samochodu.

Veronique, nie mogąc wyjść z podziwu, że Estelle nie tylko pamiętała o jej urodzinach, ale i zadała sobie tyle trudu, żeby upiec tort i przemycić go do jej domu, rozczuliła się tak strasznie, że aż wybuchnęła płaczem.

– Przynajmniej ty mnie nie zawiodłeś i zapomniałeś – chlipnęła do Jeana-Pierre'a. – Gdybyś jeszcze ty pamiętał o moich urodzinach, to chybabym umarła ze wzruszenia.

– To może lepiej niech ktoś zadzwoni po karawan – zaproponował Jean-Pierre, sięgając do torby i wyjmując z niej kartkę urodzinową i dwie paczuszki, tak małe, że nie mogły zawierać niczego innego, jak tylko coś z biżuterii.

Veronique opadła na fotel, masując się po brzuchu. Objadła się ciastem po samo gardło i opiła winem jak bąk, ale jej myśli goniły jedna drugą. Plan X być może dobiegł końca, ale tylko dla Estelle i Jeana-Pierre'a. Przed nią była jeszcze jedna przeprawa. Za niecałe dwadzieścia cztery godziny wrócą jej rodzice i na pewno zauważą, że pod ich nieobecność samochód zmienił kolor.

Rozdział dziesiąty

Pierwszą rzeczą, która rzuciła się jej w oczy, kiedy zobaczyła rodziców w hali przylotów lotniska de Gaulle'a, popychających wózek z bagażami, była ich opalenizna.

– Ale jesteście brązowi – powiedziała.

Zaskoczyło ją, jak bardzo rodzice ucieszyli się na jej widok. Oboje wyściskali ją i wycałowali chyba po sto razy każde, aż musiała sobie co chwila przypominać, że żadne z nich nawet nie podejrzewa, co ich pociecha wyprawiała, kiedy była sama. Mieli przecież wszelkie podstawy, aby sądzić, że zachowywała się jak przykładna córeczka, pracowała ciężko i dbała o ich dom najlepiej jak potrafiła. Skąd mogli wiedzieć, że oddawała się nieznajomym mężczyznom, kradła audiofilski sprzęt grający i mordowała angielskie księżne?

Ruszyli do wyjścia, pchając wózek po pochyłych rampach i kilka razy przesiadając się z windy do windy. Rodzice nie przestawali mówić o Beninie i o maluchach, a kiedy po dojściu na parking zobaczyli, że Veronique zabrała ze sobą na lotnisko Césara, nie posiadali się z radości. Oblegli go na krótką chwilę, po czym usadowili się w samochodzie. Veronique włączyła silnik i pojechali.

Mama zauważyła, że coś jest inaczej, dopiero kiedy byli już prawie w domu.

– Wydawało mi się, że nasz samochód jest biały – odezwała się.

– Mnie też to zastanowiło – zawtórował jej ojciec – ale nie chciałem nic mówić.

– Veronique?

– Słucham, mamo.

– Dlaczego samochód zmienił nagle kolor?

– Ach, to. – Veronique miała już gotowe wyjaśnienie, przemyślane i ułożone co do słowa. – Wypadło mi z głowy. To długa historia.

– Usłyszymy ją?

– Jasne. Jak dojedziemy do domu. Na pewno marzycie o filiżance kawy.

Nie myliła się. I mama, i ojciec marzyli o filiżance kawy.

– To było tak – zaczęła Veronique. – Zaraz następnego dnia po waszym wyjeździe w tamtym białym aucie nawaliło sprzęgło. Praktycznie nie dało się nim jeździć, a przy zmianie biegów wydawał okropne hałasy. Znalazłam numer tego dilera z Normandii, który wam go sprzedał, zadzwoniłam i zrobiłam mu awanturę, że co on sobie myśli sprzedawać ludziom samochód z rozwalonym sprzęgłem.

– I co on na to? – zapytała mama.

– Z początku milczał. A potem się rozpłakał.

– Biedak.

– Był kompletnie zdruzgotany. Po jakimś czasie wziął się w garść i zaczął mi się tłumaczyć, że nigdy w życiu nie sprzedał nikomu felernego auta. Od razu zaproponował, że mi je wymieni. Miał akurat na składzie fiata uno, nowszego i ogólnie lepszego, z tym że ten był jasnopomarańczowy.

– Istotnie jest mocno pomarańczowy.

– Tak – zgodził się ojciec. – Trzeba przyznać, że kolor ma konkretnie pomarańczowy.

– W każdym razie następnego dnia ten sprzedawca przyprowadził tutaj ten pomarańczowy wóz. Kiedy zobaczył tamten biały, określił go brzydkim słowem, skopał, a potem zabrał do najbliższego warsztatu i wrócił nim do Normandii.

– To bardzo miło z jego strony.

– Przeprosił mnie chyba z tysiąc razy.

– Ale mimo wszystko chyba niepotrzebnie tak się tym przejął. W końcu to tylko samochód i ma prawo się popsuć. Nie był też najnowszy, więc dobrze wiedzieliśmy, co ryzykujemy, kupując go. Prawdę mówiąc, zdziwilibyśmy się, gdyby tamten pan zechciał zapłacić chociażby za wymianę sprzęgła.

– Powiedział, że sprzedaje samochody już od prawie trzydziestu lat i ani razu jeszcze nie miał reklamacji. Wyłaził wprost ze skóry, żeby wymienić mi tego białego fiata na lepszy model. Na pierwszy rzut oka widać, że ten nowy jest więcej wart.

– Trzeba będzie – mama spojrzała na ojca – zajrzeć do niego przy najbliższej okazji i podziękować za uczciwość.

– Koniecznie. I musimy dać mu jakiś prezent.

– Nie – sprzeciwiła się Veronique. – To wykluczone.

– Niby z jakiej racji? – zdziwiła się mama.

Tego wariantu Veronique nie przewidziała. Założyła, że rodzice wysłuchają jej dopracowanego w każdym szczególe wyjaśnienia, przyjmą je do wiadomości, a potem zmienią temat i zacznie się oglądanie zdjęć. Ostatnie wydarzenia nauczyły ją jednak szybkiego myślenia.

– Chodzi o to – odparła – że on sobie tego nie życzy.

– Ależ dlaczego miałby nie życzyć sobie, żebyśmy mu podziękowali i wręczyli na pamiątkę garnuszek pysznego miodu albo replikę benińskiej rzeźby z brązu?

– Powiedział, że sobie tego nie życzy.

– Co takiego? Powiedział konkretnie, że nie przyjmie żadnych produktów pochodzenia pszczelego ani replik zachodnioafrykańskiej rzeźby dekoracyjnej? To może postaramy się wymyślić coś innego?

– Nie. Powiedział, że nie chce niczego.

– Naprawdę? Dziwny jakiś...

– Tak bardzo się przejął tym, co zaszło, że prosił mnie usilnie, aby nigdy mu o tym nie przypominać. Powiedział, że rozumie, iż będę musiała wytłumaczyć się wam z pojawienia się nowego samochodu, ale potem błagał mnie na kolanach, żeby nikomu nie mówić o tym popsutym sprzęgle, a zwłaszcza, żeby już nigdy, ani jednym słowem, nie przypominać o tym jemu. Obiecałam mu, że wykreślę całą sprawę z pamięci i że żadne z nas nigdy już do tego nie wróci. Na koniec wymógł na mnie przysięgę, że nawet po jego śmierci zachowamy wszystko w tajemnicy. Powiedział, że nie mógłby zaznać spokoju w swoich ostatnich chwilach, gdyby wiedział, że kiedy jego już nie będzie, ktoś wywlecze na światło dzienne tę aferę ze sprzęgłem.

– Jak na sprzedawcę używanych samochodów zachował się bardzo nietypowo. Przecież w tym fachu to normalka, że wciska się komuś wybrakowane auto – powiedział ojciec Veronique. – Ale w końcu nie możemy narzekać. Wiecie, zawsze sobie myślałem, że fajnie by było mieć taki jasnopomarańczowy wózek. I proszę, mam! Patrząc na to z tej strony, to jest prawie jak spełnienie marzeń.

– Co takiego? Nigdy mi nie mówiłeś, że marzysz o pomarańczowym samochodzie – zdziwiła się mama Veronique. – Żyjesz z mężczyzną przez trzydzieści dwa lata – zwróciła się do córki – pierzesz mu skarpetki, rodzisz jego dzieci i myślisz, że znasz go na wylot, a on wtedy wyskakuje ci z czymś takim. Pomarańczowy wózek, też coś! Gdybym wiedziała, że tak łatwo cię zadowolić, nie męczyłabym się tak przez te wszystkie lata.

– Może właśnie dlatego nigdy ci o tym nie wspominałem – odparł ojciec. – W każdym razie jeśli chodzi o tamtego dilera, może tę sprawę uważać za zamkniętą. Nie chcę już więcej o tym myśleć.

Siedzieli razem do późna w nocy. Veronique pozachwycała się replikami benińskich brązów, przywiezionymi przez rodziców specjalnie dla niej. Miały one od dziś uzupełniać jej bogatą kolekcję drobiazgów, których przyjęcia nie można było odmówić; przez ostatnie trzy lub cztery lata trochę się tego nazbierało. A potem cała trójka oglądała bez końca zdjęcia nadzwyczajnych latorośli, które nie wiedzieć jakim cudem spłodził brat Veronique.

CZĘŚĆ TRZECIA

Rozdział pierwszy

Veronique miewała momenty, kiedy marzyła o tym, żeby zmarła księżna ukazała się jej we śnie. Chciała zobaczyć ją w środku nocy i usłyszeć od niej słowa pocieszenia. Wyobrażała sobie, że księżna weźmie ją za rękę i łagodnym głosem powie coś w stylu: „Nikt nie ucieknie przed własnym losem" albo „Nie można bez końca zamartwiać się własnymi błędami – najlepiej wyciągnąć z nich naukę i żyć dalej własnym życiem". Albo jakiś podobny banalny frazes.

Veronique miewała najróżniejsze sny. W jednym nosiła na przegubie zegarek, który był jednocześnie akwarium, w innym była uwięziona wewnątrz czarno-białego futrzanego kostiumu pandy, a w jeszcze innym karmiła piersią jakiegoś mocno osobliwego noworodka. Ale w żadnym ze snów nie przyszła do niej księżna, nie pogłaskała po głowie i nie powiedziała, żeby się nie martwiła.

Gazety i czasopisma przez całe miesiące karmiły się spekulacjami na temat tego, co zaszło w tunelu owej fatalnej nocy. Niektórzy twierdzili, że to MI6 do spółki z CIA doprowadziły do śmierci Diany i jej egipskiego kochanka, ponieważ nie można było dopuścić, żeby ojczym przyszłego króla Anglii był muzułmaninem. Pojawiały się też opinie obarczające winą potentatów międzynarodowego handlu bronią, którzy mieli wynająć agentów do uciszenia księżnej Diany, ponieważ nie bała się ona mówić przed całym światem, że produkowane przez nich miny lądowe często rozrywają na strzępy niewinnych ludzi. Krążyły także pogłoski o prywatnych armiach, samotnych zamachowcach i zazdrosnych kochankach.

Veronique z największym zainteresowaniem słuchała tych hipotez, które skupiały się na jej osobie. Jedna z nich głosiła, że ona sama, a może jej psi pomagier, silnym reflektorem oślepiła kierowcę samochodu księżnej. Według kolejnej Veronique i César za pomocą jakiejś wyrafinowanej techniki zdalnie przejęli kontrolę nad układem kierowniczym skazanego na nieuchronną katastrofę mercedesa. W obu tych wersjach wydarzeń stary, przechodzony fiat rodziców Veronique posiadał zakamuflowany pancerz oraz potężną turbosprężarkę, dzięki której zdołał umknąć z miejsca zbrodni jak na skrzydłach.

Veronique rozumiała doskonale, dlaczego ludzie chcą słuchać tych bajeczek, choćby były one nie wiadomo jak naciągane. Gdyby Diana i Dodi popełnili razem samobójstwo, ich historia zyskałaby na romantyczności, gdyby rozbili się motorówką na Seszelach, byłaby bardziej dramatyczna; gdyby lecieli prywatnym odrzutowcem i zaginęli w rejonie Trójkąta Bermudzkiego, sprawa zrobiłaby się tajemnicza, a gdyby odcięli się od świata, szukając zapomnienia w alkoholu, chwytałaby za serce. Nawet powtórka z rozrywki w stylu numeru z szalem, którym zasłynęła Isadora Duncan, albo skoku w przepaść, znanego z wykonania Grace Kelly, byłaby w jakimś sensie bardziej na miejscu niż zderzenie z betonowym filarem. Ludzie wypłakujący oczy na ulicach byliby o wiele bardziej zadowoleni, gdyby śmierć księżnej Diany nastąpiła gdziekolwiek indziej, tylko nie w brzydkim tunelu na autostradzie, nieważne, że ten tunel i ta autostrada znajdowały się w samym sercu Miasta Miłości, a wśród szczątków po katastrofie znaleziono sznury pereł i szczerozłotą obcinaczkę do cygar.

Pośród zalewu dzikich spekulacji często gęsto pojawiał się jakiś autentyczny, sprawdzony fakt, dotyczący tragedii. Im więcej ich wychodziło na światło dzienne, tym mniej Veronique czuła się odpowiedzialna za spowodowanie tej katastrofy. I tak najpierw dowiedziała się, że kierowca mercedesa miał we krwi cztery razy więcej alkoholu, niż pozwalają przepisy, że przekroczył limit szybkości o sto procent i że przejeżdżał na czerwonych światłach, a w ogóle to nawet nie miał kwalifikacji do prowadzenia takiego samochodu. Potem zaś usłyszała, że nikt spośród tych osób, które zginęły, nie zapiął uprzednio pasów bezpieczeństwa, jakby wszyscy byli przekonani o własnej nietykalności. Veronique uznała, że nie może się obwiniać za coś takiego.

Czasami w wiadomościach wspominano mimochodem o małym białym fiacie. W pewnym momencie ogłoszono nawet, że posiadacze aut tej marki, zarejestrowanych w Paryżu, mają obowiązek zgłosić się na policję. Reakcja Veronique na ten komunikat była prosta: udała, że go nie słyszała. Samochód jej rodziców miał papiery rejestracyjne z Normandii, a o ile było jej wiadomo, nie istniały żadne dokumenty, które mogłyby potwierdzić, że kiedykolwiek ktoś jeździł nim po Paryżu. Poza tym w miarę upływu czasu całe dochodzenie coraz bardziej zaczęło nabierać podejrzanej powierzchowności. Policjanci i detektywi sprawiali wrażenie, jakby mieli już dość węszenia za samochodem, który odegrał (albo i nie) jakąś pomniejszą rolę w katastrofie spowodowanej przecież bez cienia wątpliwości przez pijanego kierowcę. Wydawało się, że każdy z ludzi pracujących przy tej sprawie zaczyna tęsknić za ściganiem prawdziwych przestępców. A czas płynął.

Natomiast żadna gazeta, żaden reporter telewizyjny ani żaden detektyw podczas całego, wielomiesięcznego śledztwa nie wspomniał nawet słowem o jednym szczególe: że tamtej nocy ulicami Paryża, świeżo po zerwaniu ze swoim facetem, jechała samochodem dziewczyna opita winem, popalając skręta, słuchając radia i rozmawiając ze swoim psem. I że gdyby nie siedziała wtedy za kółkiem, to księżna najprawdopodobniej dotarłaby tam, dokąd chciała dotrzeć.

Rozdział drugi

Jean-Pierre odebrał to jako znak.

Kiedy plan X z powodzeniem dobiegł końca, namówił Veronique na skontaktowanie się z Clémentem. Paser był podejrzliwy i trzeba było dzwonić do niego kilka razy. Ociągał się i wykręcał, ale w końcu, dla świętego spokoju, podał im nazwisko handlarza, któremu sprzedał ukradziony sprzęt. W jednej chwili wsiedli do jasnopomarańczowego samochodu i popędzili pod wskazany adres. Jean-Pierre otworzył drzwi, jeszcze zanim Veronique zdążyła zatrzymać się przy krawężniku, a kiedy znalazła miejsce do parkowania i dołączyła do niego, on dawno był w sklepie i miał już w rękach swój zdekompletowany zestaw: wzmacniacz, głośniki, radio i odtwarzacz CD. Magnetofon ktoś zdążył już kupić, ale Jean-Pierre i tak był zadowolony. Po krótkich wyjaśnieniach dotyczących pochodzenia sprzętu, udało im się wynegocjować drobny rabacik. Zapłacili, załadowali wieżę do bagażnika i odjechali.

Po powrocie do mieszkania Jean-Pierre podłączył wszystkie kable i wcisnął klawisz „On". W głośnikach rozległo się ciepłe pyknięcie. Szuflada odtwarzacza wysunęła się automatycznie, a w niej, jaśniejąc anielskim blaskiem, leżała płyta „Od fal dźwiękowych do dźwięku" nagrana przez Awangardowy Sofijski Oktet Tarzystów.

Jean-Pierre złożył wizyty w kilku właściwych miejscach i odbył rozmowy z ludźmi, którzy mogli się zająć organizacją nagłośnienia i oświetlenia. Sporządził listę potrzebnych rzeczy oraz ogólny kosztorys; na tej podstawie wyliczył, na jakie ryzyko finansowe stać go przy realizacji całego przedsięwzięcia. A kiedy skończył już z tym wszystkim, napisał długi list i wysłał go do Bułgarii. Miał gorącą nadzieję, że w ten sposób uda mu się odpokutować za swe zbrodnie przeciwko sztuce muzycznej, a konkretnie za zaśmiecenie eteru dźwiękami piosenek „(You Are) So Attractive (To Me)"*, „I Never Loved A Lady (Like You)"** i innych. Miał przed sobą jeszcze długą drogę, a pierwsze kroki zawsze są trudne, lecz kierunek, który obrał, był właściwy.

Ich rozstanie nie było burzliwe, nie towarzyszyły mu żadne mistyczne znaki i nie spłonął też ani jeden zamek. Od jakiegoś czasu między nimi układało się dość nijako. Oboje czuli, że ten związek nie ma przyszłości, ale żadne z nich nie mogło się zebrać, żeby go zakończyć. Kiedy pojechali razem do Madrytu na wystawę zdjęć Veronique i wprowadzili się do hotelu, to wyglądało to tak, że leżeli, milcząc, po przeciwnych stronach łóżka i nawet amatorskie filmy wideo pokazywane przez Impacto TV, na których widać było, jak byki tratują ludzi na ulicach, nieszczególnie ich bawiły.

– Nie bardzo nam razem ze sobą, prawda? – odezwała się w pewnym momencie Veronique.

– Nie bardzo – przyznał Jean-Pierre.

Powiedziawszy to sobie, poszli do baru i upili się ginem z tonikiem.

A kiedy o świcie wrócili do hotelu, Jean-Pierre położył się spać na podłodze. I było po wszystkim.

Veronique w końcu nie rzuciła swojej pracy. Po staremu siedziała z Marie-France za biurkiem obok Françoise (która, skoro już o tym mowa, ubierała się coraz gorzej – jednego dnia zdobyła się nawet na to, żeby przyjść do biura w staroświeckim czepku), a żeby wydobyć się z dziury finansowej, w którą wpadła, zaczęła dorabiać przez trzy dni w tygodniu jako kelnerka w restauracji w jednym z modnych hoteli. Co miesiąc dawała Jeanowi-Pierre'owi dwa tysiące franków; przez pierwsze kilka tygodni po rozstaniu obchodzili się wzajemnie z daleka, ale w końcu z powrotem zaczęło się pomiędzy nimi układać. Jean-Pierre

* (Jesteś) Taka piękna (w moich oczach).

** Kocham po raz pierwszy (kobietę taką jak Ty).

znalazł sobie nową dziewczynę, osiemnastkę, która chłonęła każde jego słowo i której nigdy nie przyszło do głowy, że jej mężczyzna zarabia na życie w inny sposób, jak tylko pisując od czasu do czasu recenzje filmowe i muzyczne albo przygrywając do kotleta w na pół pustej restauracji. Trzeba bowiem wiedzieć, że Jean-Pierre dorobił się własnego kwartetu, w którym obsługiwał swój olbrzymi saksofon; grali po barach dwa razy w tygodniu. Nie czuł się natomiast w obowiązku informować dziewczyny o swoich ciągłych sukcesach na polu rockowo-balladowej liryki. Spółka Jean-Pierre i jego brat sprzedała prawa do dziewięciu utworów, które na listach przebojów radziły sobie różnie, ale mimo to czeki przychodziły w miarę regularnie, dzięki czemu Jean-Pierre mógł sobie pozwolić na przeprowadzkę do dużego apartamentu w lewobrzeżnym Paryżu. Veronique odwiedzała go tam co jakiś czas. Podczas jednej z takich wizyt zdecydowała się go trochę podpuścić i zagadnęła, jak mu się podoba to życie, o którym marzył od tak dawna.

– Rzecz jasna, że kiedyś nie mogłem sobie pozwolić na wyprowadzkę z mojego starego mieszkania. Cokolwiek bym robił, musiałem tam zostać – odparł.

– Właśnie, że nie musiałeś. W każdej chwili mogłeś przenieść się tutaj i udawać Argentyńczyka, wystarczyło wziąć się w garść. Doprowadzało mnie to do szału.

– Ale ty nie rozumiesz.

– Czego nie rozumiem? Że jak się człowiek uwala dzień w dzień, to ciężko mu się zebrać, żeby zakręcić się koło przeprowadzki?

– Nie. Nie mogłem się stamtąd wyprowadzić, bo gdybym to zrobił, rodzice pewnie by sprzedali tamto mieszkanie.

– No to co?

– Jak to: co? A wujaszek Thierry? Co by było, gdyby ktoś mu zabronił tam przychodzić i wypuszczać gołębie z okna? Miałabyś sumienie zrobić mu coś takiego?

Veronique poczuła, jak wzbiera w niej fala niepohamowanego uczucia, ale nie pozwoliła sobie na reakcję. Była pewna, że jeśli zachowa spokój i nie będzie robić nic, emocje zelżeją, rozpłyną się i wkrótce nie zostanie po nich ani śladu. Tak zazwyczaj się działo.

Estelle za żadne skarby świata nie mogła pojąć, dlaczego angielski doktor zaprosił ją i Phuong na swój ślub, skoro widział je zaledwie kilka razy i to przelotnie. Veronique wyjaśniła jej, o co chodzi: otóż panna młoda zaprosiła czterech byłych facetów, a on, ponieważ przez całe swoje życie był tylko z jedną kobietą, przestraszył się tej dysproporcji. Trzy tajemnicze Francuzki po jego stronie kościoła miały poprawić wizerunek doktora, aby nie wyglądał on na tak beznadziejny przypadek, jakim był w istocie. Estelle niezbyt uśmiechała się podróż do Anglii wyłącznie po to, aby wystąpić w charakterze dekoracji dla kogoś, kogo ledwie znała, ponieważ ma on ambicję uchodzić przed znajomymi za kosmopolitycznego podrywacza. Kiedy zatem Veronique oznajmiła, że nie wybiera się na ślub, bo akurat w ten weekend zapowiedział się z wizytą jej brat razem z żoną i maluchami, a Phuong wymówiła się wyjazdem do Chile z wyprawą naukową badającą migracje morskich meduz, Estelle, nie namyślając się długo, wykreśliła całą rzecz z kalendarza. Trwała w tym postanowieniu do chwili, kiedy się dowiedziała, że narzeczona doktora wcale nie jest z pochodzenia Angielką, lecz Walijką, a ślub odbędzie się na półwyspie Llyn, gdzie urodził się jej ukochany R. S. Thomas. Natychmiast odpisała, dziękując za zaproszenie i zapewniając, że stawi się niezawodnie.

W dniu ślubu dostarczyła gościom powodów do niejakiej konsternacji. Nikt nie był do końca pewien, skąd się wzięła ani co robi w kościele zupełnie sama. Przez większość czasu uganiała się za krewnymi panny młodej, gorączkowo szlifując swój walijski i wypytując każdego z nich, czy mógłby jej opowiedzieć coś o R. S. Thomasie. Blondynka z Francji, na piętnastocentymetrowych obcasach i w kusej sukience w zebrę, wywołała niemałe poruszenie. Panowie ustawiali się w kolejce, żeby szlifować razem z nią język, a ich żony i partnerki śledziły swoich mężczyzn kątem oka. Estelle bardzo przypadła do gustu wybranka angielskiego doktora; rozpłakała się w głos przy składaniu przysięgi małżeńskiej. Na weselu poznała organistę, który grał do ślubu. Był to łagodny człowiek w wieku trzydziestu dziewięciu lat. Mieszkał z matką i znał na pamięć obszerne fragmenty twórczości walijskich poetów, a także mnóstwo hymnów religijnych, i to zarówno po walijsku, jak i po angielsku. Estelle wdała się z nim w długą rozmowę, a kiedy zaczął szczegółowo analizować zakończenie opowiadania Dylana Thomasa pod tytułem „Wizyta u dziadka" – nie czytała go wcześniej – w pewnym momencie zamknęła mu usta gorącym, długim pocałunkiem. Zbiła go tym kompletnie z tropu, ponieważ był to jego pierwszy pocałunek w życiu; organista dawno już porzucił wszelką nadzieję, że kiedykolwiek dowie się, jak to smakuje.

Zmusiła go, żeby zawiózł ją do siebie. Przekradli się na palcach do jego pokoju na piętrze, skąd po niedługim czasie zaczęło się rozlegać poskrzypywanie sprężyn w akompaniamencie gardłowych jęków. Nagle do drzwi pokoju ktoś zastukał. Po chwili stukanie się powtórzyło, potem jeszcze raz, aż w końcu zmieniło się w walenie, a zza drzwi dobiegł krzyk starszej pani:

– W tej chwili przestań! To obrzydliwe!

– Wybacz, mamo! – odkrzyknął organista. – Drugiej takiej szansy mogę nie mieć już nigdy.

I z nowym zapałem zabrał się z powrotem do dzieła, a krzyki i walenie w drzwi po jakimś czasie ustały.

Rano matka organisty zasiadła przy kuchennym stole, czekając, aż jej syn sprowadzi na śniadanie swoją nową, bezczelnie bezwstydną znajomą. Widok Francuzki w bardzo krótkiej, wyciętej do granic możliwości i niewiarygodnie obcisłej sukience wystraszył starszą panią. Lecz prawdziwym strachem napełniło ją dopiero to, że owa Francuzka, wcinając jajka na twardo, rozmawiała z nią w jej ojczystym języku walijskim, którym władała absolutnie swobodnie i co więcej – poprawnie. Wyraziła zainteresowanie domem i wsią, w której mieszkali, a zanim skończyła drugą filiżankę herbaty, matka organisty była już wprost zachwycona jej osobą. W pewnym momencie powiedziała:

– Musi pani koniecznie przyjechać do nas jeszcze kiedyś. Będzie nam bardzo miło, prawda, Rhodri?

Rhodri milczał, wbijając wzrok w czubki butów.

– Obawiam się, że to nie będzie możliwe – odpowiedziała za niego Estelle.

– Już ją zaprosiłem sam – odezwał się Rhodri cicho, nie odrywając oczu od butów – a ona odmówiła. Powiedziała, że tak będzie najlepiej i że powinienem jej zaufać, bo ona wie, co mówi.

Estelle założyła swoje niedorzeczne pantofelki, pożegnała się grzecznie i wyszła, kierując się prosto do pensjonatu, w którym się zatrzymała. Tam przebrała się w nieco bardziej stosowne ubranie i zamówiła taksówkę. Pojechała do miasta Aberdaron, gdzie wstąpiła do małego kościółka. Usiadła w jednej z tylnych ławek i nagle poraził ją widok pleców starszego mężczyzny o gburowatym wyglądzie. Człowiek ten w trakcie nabożeństwa nie wstawał i niczego nie czytał ani nic nie mówił. Zachowywał się zwyczajnie, jak w kościele. Po skończonej mszy wyszedł ze świątyni, mijając po drodze Estelle, która siedziała jak zamurowana w swojej ławce. Przeszedł tak blisko niej, że poczuła wyraźnie jego zapach. Pachniał wspaniale i do tego dokładnie tak, jak sobie wyobrażała: pachniał słowem i pachniał Walią. Estelle nie poprosiła go o autograf, nie przedstawiła mu się nawet. Wstała i wyszła za nieznajomym z kościoła, odprowadzając go wzrokiem, dopóki nie rozpłynął się w oddali. A potem, wniebowzięta, pojechała taksówką na dworzec i wróciła pociągiem do Londynu. Postanowiła, że musi jeszcze coś załatwić przed powrotem do Francji.

– W sumie to bardzo miła młoda osoba – powiedziała matka organisty.

– Wiem – odparł.

– I ładniutka, prawda? No i tyle wiedziała o naszym kraju... A to, co z tobą zrobiła w nocy, we Francji uchodzi pewnie za ogólnie przyjęte, więc nie możemy chyba mieć jej tego za złe, jak sądzisz? Może już czas, żebyś się rozejrzał za jakąś miłą dziewczyną podobną do tej. Czy jesteś aby pewien, że ona już nigdy cię nie odwiedzi?

Rhodri milczał.

– Rhodri?

Cisza.

– Rhodri, mówię do ciebie.

– Ona już nigdy nie wróci, mamo. Nie mówmy o tym więcej – powiedział Rhodri, z wzrokiem utkwionym w czubkach swoich butów. Nie wyobrażał sobie, żeby kiedykolwiek mógł oderwać od nich oczy, nawet gdyby dane mu było dożyć setki. W jego głowie zaczęły się snuć wizje warzywnika i domku otoczonego murem, strzeżonego przez psa posokowca. Nie wiedział, dlaczego tak się dzieje. Czuł, jak w jego sercu rodzi się tęsknota, której nie pozbędzie się już nigdy.

Rozdział trzeci

Jean-Pierre nie skojarzył, że wieczór, który wybrał na organizowany przez siebie koncert, przypada co do dnia w rocznicę fatalnego powrotu Veronique do domu. Veronique również wyleciało to z głowy i uświadomiła sobie ten fakt dopiero w samym dniu koncertu, kiedy rankiem zobaczyła w telewizorze rzewny materiał wspomnieniowo-rocznicowy. Oboje mieli jednak tego dnia zbyt wiele na głowie, żeby się nad tym rozwodzić. Organizacja koncertu szła powoli, za to bardzo efektywnie – sprzedano na pniu wszystkie czterysta biletów, a w ostatniej chwili Jean-Pierre dogadał się z kierownictwem sali, w której wydarzenie miało się odbyć, i załatwił pięćdziesiąt dodatkowych wejściówek. Sala ta mieściła się w pewnej galerii sztuki, miejscu niewyobrażalnie wprost trendy. Dowiedziawszy się o dodatkowych biletach, Veronique, która została zwerbowana do pomocy przy koncercie, postanowiła uczcić rocznicę dobrym uczynkiem i zaproponowała Jeanowi-Pierre'owi, żeby przekazał cały dochód na rzecz organizacji walczącej z producentami min lądowych.

– Jak chcesz – zgodził się beztrosko Jean-Pierre. – Nie ma sprawy.

– O, świetnie – ucieszyła się Veronique. – Ile to będzie, jak ci się wydaje?

– Niech pomyślę...

Jean-Pierre mocno się przeliczył, kalkulując budżet swojego przedsięwzięcia. Jak się okazało, sprowadzenie do Paryża czternastu bułgarskich muzyków pociągnęło za sobą niespodziewane koszty ukryte, których nie mogło zamortyzować nawet te pięćdziesiąt ekstra biletów. Słowem, impreza przyniosła straty, i to całkiem znaczne.

– Mniej więcej piętnaście tysięcy franków – zakonkludował wreszcie Jean-Pierre. – Na minusie. Byłbym ci bardzo wdzięczny, gdybyś załatwiła w tej swojej organizacji, żeby przesłali mi czek od ręki.

– Aha – powiedziała Veronique.

– Nie ma się czym martwić. – Jean-Pierre wzruszył ramionami. – Taka jest cena za grzechy.

Veronique do samego wieczora przygotowywała bagietki dla Bułgarów. Po ich ilości domyśliła się, gdzie wsiąkły pieniądze wyłożone na koncert. Kto by pomyślał, że awangardowi muzycy cieszą się takim apetytem?

Veronique była wściekła na Jeana-Pierre'a, że upchnął na sali te dodatkowe pięćdziesiąt osób. O dwudziestej drugiej trzydzieści nie było już gdzie szpilki wetknąć, a ona zgodziła się pełnić obowiązki oficjalnego fotografa imprezy. Przy takiej liczbie ludzi zadanie to zaczynało się robić niewykonalne.

Obok niej pojawiła się Estelle, która przecisnęła się ostrożnie przez zbitą ciżbę ludzką, uważając, żeby nikt nie nadepnął jej na lewą stopę. Miała na nogach adidasy swojej siostry, o kilka numerów za duże, i wyraźnie utykała.

– Jak tam twój paluszek? – Veronique uściskała przyjaciółkę.

– W porzo. Trochę musi poboleć, ale podobno przyrośnie, zanim się obejrzę. Polecam, zwłaszcza tobie. Mogłabyś spłacić Jeana-Pierre'a za jednym zamachem i jeszcze by ci zostało na rozpieszczanie tego twojego nowego.

– Nie ma już tego mojego nowego – powiedziała Veronique.

Mechanik z warsztatu samochodowego męczył się przez dziesięć i pół miesiąca, zanim w końcu zebrał się na odwagę i przyszedł do Veronique drugi raz, z prośbą o spotkanie. I choć ona nie miała właściwie ochoty z nikim się wiązać, facet wyglądał na dosyć taniego w utrzymaniu, więc pomyślała, że ostatecznie można dać mu jeszcze jedną szansę. Nie była jednak przygotowana na romantyczne uniesienia, które, jak się okazało, stanowiły jego prawdziwą naturę; po dwóch tygodniach zdecydowała się przerwać ten eksperyment.

– Wazony mi się skończyły – wyjaśniła przyjaciółce. – A biedny César okropnie się roztył na tych wszystkich przysmakach, które on mu znosił. Kiedy mu powiedziałam, że z nim zrywam, oświadczył, że zaciągnie się do wojska, ale nie wiem, czy w końcu to zrobił. Ale zejdźmy już ze mnie. Powiedz, jak było w Walii?

Oczy Estelle zasnuły się mgłą.

– Cudownie.

– A mój doktor?

– Zdrów jak szczypiorek na wiosnę.

– A ta jego żona? Jaka jest?

– Obawiam się, że szalenie sympatyczna.

– Ale wygląda jak pasztet?

– Niezupełnie. Prawdę mówiąc, jest bardzo piękna. Przykro mi.

– No, to pewnie nie grzeszy rozumem...

W tym momencie zgasły światła, a na sali zapadło nabożne milczenie. Na środek prowizorycznej sceny wystąpił mężczyzna trzymający pod pachą dziecięce pianinko. Otworzył klapę, włożył rękę do środka i zaczął delikatnie trącać jedną strunę, raz za razem. Po nim na scenie pojawiła się kobieta, która zajęła jedno z krzeseł i wzięła do rąk dwa kable elektryczne podłączone do jakiejś cudacznej maszyny. Zetknęła ze sobą końcówki i maszyna zaczęła buczeć. Po chwili ta sama kobieta pojawiła się na scenie ponownie, z tym że to nie była ona, ale jej siostra bliźniaczka. Wzięła do ręki ukulele i trzymając je do góry nogami, zaczęła grać. I tak dalej, jeden po drugim, na scenę wyszło czternaścioro muzyków Awangardowego Sofijskiego Oktetu Tarzystów i zabrało się do tego, w czym byli najlepsi.

Po trzecim bisie na sali zapaliły się światła, a publiczność z ociąganiem ruszyła w stronę wyjścia. Jean-Pierre przesunął się obok Veronique, zatopiony w głębokiej ekstazie. Pstryknęła mu zdjęcie. Błysk flesza wyrwał go z zadumy. Rozejrzał się i zauważywszy Veronique, podszedł do niej.

– Było wspaniale – powiedziała. – Wszystkim się podobało.

– Wiem – odparł. Veronique pomyślała, że jeszcze nigdy nie widziała, żeby był tak szczęśliwy. Nie mogła się oprzeć, żeby go nie uściskać. Momentalnie u boku Jeana-Pierre'a wyrosła jego dziewczyna i Veronique musiała go puścić.

– Jedziemy teraz do mnie – powiedział. W jego mieszkaniu miało się odbyć party dla członków zespołu oraz kilku starannie dobranych gości. Okazja była przecież nie byle jaka: oto bułgarscy muzycy namalowali w Paryżu pejzaż dźwiękowy. – Wybierasz się?

– Dołączę do was – skinęła głową.

Jean-Pierre wyszedł z galerii, obejmując ramiona swojej nowej dziewczyny. Veronique patrzyła za nimi, dziwiąc się, że przypadła mu do gustu osoba tak wysokiego wzrostu. Zerknęła na zegarek. Pokazywał godzinę dwunastą dwadzieścia pięć. Zamarła w oczekiwaniu. Po chwili na wyświetlaczu pojawiły się cyfry 12:26. Dokładnie rok temu, co do minuty, Veronique wjechała do tunelu Pont L'Alma. Dwudziesta szósta minuta po godzinie zero dobiegła końca w całkowicie rutynowy sposób, nie pojawiły się żadne zjawy, nie zatrzęsła się ziemia, nie dał się słyszeć głos z zaświatów, nie uderzył też ani jeden piorun. Veronique poczuła tylko, jak ściska się jej żołądek, ale na tym był koniec. O dwunastej dwadzieścia siedem spakowała swój sprzęt fotograficzny i ziewając, odszukała Estelle wśród ostatnich widzów marudzących jeszcze na sali. Razem pojechały do mieszkania Jeana-Pierre'a. Zapowiadała się długa noc. Oktet zażyczył sobie repetę bagietek.

SPIS TREŚCI

Jodi Picoult
Bez mojej zgody

Mam na imię Anna. Urodziłam się po to, żeby moja starsza siostra mogła żyć. W jej żyłach płynie moja krew. W kościach nosi mój szpik. Teraz rodzice chcą, żebym oddała jej nerkę. Nie pytają mnie o zgodę. Oni już podjęli decyzję. A ja mam 13 lat i chcę normalnie żyć!

Czy można odrzucić przeznaczenie? Czy pisany nam los nie wróci niepostrzeżenie jak bumerang? Gdzie są granice ludzkiej ingerencji w boski plan? Książka Jodi Picoult, jako jedna z nielicznych powieści porusza ważkie problemy osiągnięć współczesnej medycyny, które stawiają przed nami nowe dylematy etyczne. Dylematy dotyczące nas wszystkich.

Marta Sawicka, „Wprost”

Codziennie rozwiązujemy małe problemy, lecz bywa, że los każe nam rozstrzygać wielkie. Książka Jodi Picoult jest zapisem pytań, jakie sobie wówczas zadajemy, a nie próbą udzielenia odpowiedzi. Te musimy znaleźć sami. Jodi Picoult napisała prostą historię o wielkich sprawach. Pokazała, co tak naprawdę znaczy decydować o sobie.

Anna Grużewska, „Pani”